LÉON-PAUL FARGUE

Les vingt arrondissements de Paris

UNE VILLE AU BONHEUR DES RUES ET DES SOUVENIRS

PARIGRAMME

Rue des Trois-Frères,
à Montmartre,
18e arrondissement.

sommaire

Au kiosque à journaux,
des nouvelles fraîches
de Paris... et d'ailleurs.

et ouvrage prolonge la collection « Mémoires des rues » dont chaque volume est consacré à un arrondissement de Paris. Mais l'album que vous avez en main embrasse plus large puisque les vingt arrondissements s'y trouvent réunis – son titre n'en fait pas mystère –, ce qui offre au lecteur le loisir de grandes traversées et non plus seulement l'occasion d'accomplir le tour du pâté de maisons.

Une promenade buissonnière doit-elle s'attacher les services d'un guide ? Oui, assurément, quand celui-ci n'est autre que Léon-Paul Fargue, infatigable flâneur des deux rives. De Clichy à Vincennes, de Montrouge à Saint-Ouen, le merveilleux piéton de Paris a tout vu, tout montré, s'extasiant à chaque coin de rue, ou presque, de ce qui est ou de ce qui n'est plus. Poète du pavé, Fargue le fut tout autant que Robert Doisneau ou Jacques Prévert, après lui. D'ailleurs, dans ces *Vingt arrondissements de Paris*, publiés en 1951, après la mort de l'auteur, aux éditions Vineta à Lausanne, puis réédités par Fata Morgana en 2011, il est moins question de grands monuments que de cafés, de marchandes des quatre-saisons, d'étudiants, d'artistes, de nuages, de gares, de jardins et de rues.

De rues d'abord. Elles présentent leur décor, changeant selon les lieux et les heures de la journée, mais surtout un spectacle. Ces rues de Paris furent en effet longtemps bien plus que de simples voies de circulation, les photographies du début du XXe siècle l'attestent encore. Une comédie humaine s'y joue à guichets ouverts, mettant en scène un petit peuple affairé ou désœuvré, besogneux ou rigolard, chamailleur ou fraternel, qui imprime sa marque à chaque carrefour. Tous les âges, toutes les générations ont ainsi laissé leur empreinte, et le génie de la langue a trouvé le moyen de l'exprimer en reliant l'origine du mot « rue » à la ruga latine, autrement dit la ride. Si la ville a un visage, le temps se peint donc dans les sillons qu'on appelle rues.

Il n'est pas anodin de préciser que les photographies reproduites dans les pages qui suivent ont été patiemment rassemblées par la Photothèque des Jeunes Parisiens avant d'aboutir à un premier album publié en 2006. Il fut l'œuvre de jeunes gens dont le parcours avait connu plus de zigzags que de lignes droites mais qui furent sensibles à cette mise en évidence du rôle social de la rue. Nulle nostalgie dans cette démarche mais la simple volonté de placer les rapports humains au cœur de la vie urbaine. Hier comme aujourd'hui. Histoire de « faire durer le plaisir » pour reprendre une expression du vieux Paris.

JEAN-LOUIS CELATI
Ancien directeur de la Photothèque
des Jeunes Parisiens

1er

arrondissement

Une modeste buvette,
non loin des Halles.

"Le premier arrondissement de Paris est le plus petit de la famille ; mais il en est le cœur, il constitue le noyau de l'incomparable fruit. Il en est à la fois l'œil, le ventre et le passé. Et je m'explique : le ventre en raison de la présence des Halles sonores et colorées sur son territoire, les Halles, si chaudes à l'âme par leurs couleurs en ordre, comme sur une palette. L'œil par la rue de la Paix, l'avenue de l'Opéra, presque jusqu'au bout ; la rue Saint-Honoré, le meilleur de la rue de Rivoli et la place Vendôme. C'est de là que partent ces étincelles, ces illuminations, ces cris de cerveaux nommés *goût* d'une façon générale. La chemise bien coupée, la silhouette qui fait retourner les passants, les diplomates, les caméras et les badauds avec, la silhouette de la Parisienne, la robe à laquelle on ne saurait ajouter un mot, un bout de fil, le chapeau digne de ce nom, le bijou aussi net, aussi nécessaire qu'une étoile, bref tout ce qui se voit dans la pure lumière des bonheurs d'expression, c'est le centre du premier arrondissement, comme si la poudre même de Paris se fût rassemblée là, entre les ravissantes maçonneries, les baies et les arcades de ce coin qui joue sans cesse à faire oublier la mort pour la joie, la mélancolie pour l'esprit de création enthousiaste. Le premier arrondissement de Paris, le chef de file, le premier jus de ce trésor, est une bande de terre assez courte, assez

Le restaurant Au Père tranquille,
à l'angle des rues Pierre-Lescot
et des Prêcheurs.

étroite, mais bougrement, divinement favorisée, qui s'étend entre la rue des Petits-Champs, chère à Danton, et la Seine. D'un côté le Louvre, et de l'autre le Jardin des Tuileries. Voilà pourquoi je disais tout à l'heure le passé. Le Louvre, c'est le passé de Paris complet, suivi comme une martingale au jeu, le passé chaque jour enrichi autour d'un palais qui est là comme son secret de longévité. Telle est la gloire du premier arrondissement. Il faudrait des années pour le visiter de fond en comble. Il est trop chargé, trop riche : c'est un vin qui monte à la tête. Il contient des parures si nombreuses qu'un amateur d'âmes perd le souffle à les vouloir posséder toutes dans le même instant : le Palais Royal et ses jardins tout enduits de fluides princiers, d'émanations impalpables et qui grisent, la Banque, le Ministère des Finances toujours rassurant en dépit de la folie des hommes – car ici, les murs sont bons ! – la statue de Jeanne, la rue Castiglione, les lingères fameuses, la maison de Madame du Deffand, les hôtels anglais, les bars discrets posés comme des jetons sur l'échiquier de l'histoire anecdotique, les artisans les plus subtils du monde, le personnel gazouillant de la couture, des stations de métro le long du fleuve si bienveillant, si distingué, comme des piscines, tout cela c'est le premier arrondissement ! Et je n'aurai garde d'oublier la Comédie-Française, toujours murmurante et toujours noble, les Beaux-Arts, la Civette aux souvenirs de luxe, le Théâtre du Palais Royal, les demeures de Colette, de Cocteau, la maison de Vidocq, la rue Daunou, les magnifiques terrasses de café de la place du Théâtre-Français, où, dans l'affairement cosmopolite, au beau milieu d'une transhumance perpétuelle rehaussée de klaxons, de trompes d'autobus, d'accents étrangers, de mobilités désordonnées, on trouve encore le moyen devant quelques soucoupes, en société d'un vieux de la vieille, de bavarder longuement de Musset, de Jules Renard, des grands rôles de jadis et des belles actrices du souvenir. Ceci le plus familièrement du monde, et le plus solennellement, comme s'il allait faire explosion au milieu de son arrondissement premier du nom, ce temps disparu mais qui couve sous la cendre et les paupières. Paris a ce don de retenir les charmes de ce qui passe, de les incorporer au présent, à l'avenir. Et dans le quartier où nous voici, le Louvre est là qui approuve, qui juge et qui autorise. Et que de fantômes rôdent le long des maisons où ils vécurent. Je les ai rencontrés quelquefois. L'amiral de Coligny fut assassiné dans un hôtel de la rue de Rivoli. La salle du Palais Cardinal, qui faisait l'angle de la rue Saint-Honoré et du Palais Royal, fut occupée par la troupe de Molière jusqu'à 1673, puis par l'Académie de musique jusqu'à l'incendie de 1763. Robert Houdin, le prestidigitateur, vers 1845 installa son théâtre tout près de l'Hôtel Mélusine, où se fit la première réunion de l'Académie française. Molière, qui naquit vraisemblablement 96, rue Saint-Honoré, mourut près du 40 de la rue Richelieu. Léo Delibes, homme délicieux, musicien inspiré, habita le 220 de la rue de Rivoli. Le pauvre grand Chopin mourut au 12 de la place Vendôme le 17 octobre 1849. Au Café de La Régence, où nous sommes allés presque tous pousser du bois, nous connaissons la table où Bonaparte jouait aux échecs... Et c'est place du Théâtre-Français que s'élevait la Porte Saint-Honoré où Jeanne d'Arc fut blessée le 8 septembre 1429. Corneille mourut rue d'Argenteuil, Musset rue du Mont-Thabor. Robespierre habita la maison du menuisier Duplay, rue Saint-Honoré. Et le dramaturge Norvégien Bjornstjerne Bjornson mourut au 208, rue de Rivoli.

,,

Photo de groupe devant le café
Guillaume Tell, 14, rue de Turbigo.

Un grossiste en fromages
au 33, rue du Pont-Neuf.

Fort des Halles, robuste gaillard louant ses épaules aux grossistes pour transbahuter leurs marchandises.

13 Henri SIMON 13

EXPOR

TÉLÉPHONE 296-48

TÉLÉPHONE 296-48

Beurre et œufs en gros,
au 13, rue de la Cossonnerie.

Un marchand de fromages ambulant rue du Pont-Neuf.
On se serre pour la photo...

Au 271, rue Saint-Honoré, le tenancier
d'une boutique et sa famille.

Au 2, rue de la Petite-Truanderie,
les employées trient les escargots
selon leur calibre tandis que
le vendeur exhibe deux belles
langoustes.

Pharamond, fameux restaurant
des Halles, toujours en activité
au 24, rue de la Grande-
Truanderie.

Enfants du quartier des Halles devant la célèbre fontaine des Innocents datant du XVIᵉ siècle.

À l'époque du « Ventre de Paris », la rue Saint-Denis compte de nombreux commerces d'alimentation en gros, comme celui-ci, au n° 44.

Marchandes d'ail aux Halles devant les pavillons Baltard.

Les forts des Halles et leur colletin, ce chapeau de cuir aux larges bords
facilitant la manutention de lourdes charges sur la nuque ou les épaules.

Dans les jardins du Palais-Royal.

Un bus à impériale de la ligne Montmartre - Saint-Germain franchissant la Seine aux guichets du Louvre.

La halle de la place du Marché-Saint-Honoré.

Commerçants et vendeurs devant la fontaine
de la place du Marché-Saint-Honoré.

On trouve tout à la Samaritaine...
un des plus anciens grands
magasins de Paris.

Belles dames et élégants
messieurs se pressent autour
de la récente station de métro
du Palais-Royal.

Le Café de Chartres du Palais-Royal,
devenu Le Grand Véfour, galerie de Beaujolais.

« Crainquebilles » rassemblées
devant la fontaine Molière,
rue de Richelieu.

2ᵉ arrondissement

Les employés d'une maison de livraison, rue Marie-Stuart.

" L a capitale du deuxième arrondissement de Paris, si j'ose dire, c'est la Bourse, et tout le monde sera de mon avis. Ça va ? La Bourse est ici le fond de l'affaire, le bruit et la fureur du lieu. Quant à l'âme de cette contrée remuante et murmurante, c'est la Presse. Je sais bien que des journaux sont allés s'établir ailleurs, mais le centre du papier imprimé et crié, c'est la rue des Jeûneurs, la rue du Croissant, la rue Saint-Joseph, et tous ces tortillons de rues qui dessinent le ciel en forme de lézard, c'est la ruche de ce coin de la rue Montmartre, qui sent encore les Halles, où les quotidiens, les spéciaux, les techniques et les hebdomadaires se mélangent. C'est l'endroit où fut tué notre pauvre grand Jaurès, ce sont les cafés où les jeunes du métier font leurs « papiers » dans la fièvre, où le téléphone est sans cesse en communication avec les Ministères, le Parlement, les Finances et la Police. Le goût de la capitale d'une nation est dans l'air. Ce deuxième arrondissement a un côté cerveau d'acier qui contient un sel aussi, une sorte de condiment que j'ai longtemps apprécié. La place de la Bourse est une gare d'autobus, et, dans le coin du bâtiment, se trouve le bureau de poste qui fonctionne nuit et jour. Que de fois j'allais courir l'aventure dans cette tanière, rien que pour voir la physionomie des gens

Devant la Bourse.

qui demandent Naples, Edimbourg, Oslo, Bratislava au téléphone, et qui durent là des heures, comme des pains au four, tandis qu'on fouille l'Europe pour découvrir leurs correspondants. Oui, bruit et fureur, rencontres inattendues, affaires, restaurants cossus, bien fournis, où les commerçants les plus avares de France ne discutent pas l'addition, car ils ne sont là que pour un jour, ou pour une petite semaine. On allait autrefois manger une côtelette aux frites chez Champeaux… Ils sont arrivés de Gap, d'Avallon, de Saint-Dié, de Tonnerre, pour s'occuper de tissus, de papier, de bois ou de cuirs, et ils dînent dans la haute rumeur de ce petit pays où le circuit des Autobus, inscrit sur les véhicules, se mêle dans les imaginations aux jolis noms des titres et des actions. Vertus de choc, comme on dit. Site de poésie moderne, avec le côté parisien de la chose, les aspects « on chante dans mon quartier ». C'est peut-être dans ce coin de Paris, tout argent, traites, factures, ordres de vente, que se nichent les Parigots les plus à la page. Mais tout change ici le dimanche et les jours de fête. La Bourse de Brongniart et Labarre, dont la construction coûta plus de huit millions de francs-or, la Bourse avec ses trois mille quatre cent cinquante-six mètres carrés de superficie, n'est plus qu'une sorte de pyramide désaffectée dans laquelle se seraient endormis les touristes et les banquiers. Il se fait ici un silence de clinique qui glisse furtivement jusqu'au bord méridional des grands boulevards. C'est dans le deuxième arrondissement, rideaux de fer abaissés, persiennes closes, le jour des flâneurs, le festival des badauds. On y est bien : les autobus y glissent à l'aise, le piéton fait des siennes tant qu'il veut. Les triporteurs, bicyclettes et voiturettes sont tombés dans les enfers, dans les dessous de ce théâtre de richesse et de ruine. Les érudits peuvent songer à l'écrasement des valeurs du groupe Philippart en 1875, à la chute de l'Union Générale de 1882, au krack des mines d'or de 1895… Les autres préféreront écouter de la musique. Il s'échappe de la rue d'Aboukir, des entours charmants de la Bibliothèque Nationale, des rives du boulevard Sébastopol, fleuve populaire qui coule sur la frontière de l'arrondissement, du boulevard des Italiens truffé de cinémas, du boulevard des Capucines, de la place Boieldieu, de l'Opéra-Comique, de la rue Vivienne et des encoignures de ces postes de vie, il s'échappe de tout cela, mêlée aux vraies odeurs de l'homme de la rue, quelque chose comme une orchestration forte et sérieuse, telle que l'ont comprise l'un après l'autre Zola et Jules Romains.

Rue Montmartre, principale artère du quartier avant les percées haussmanniennes.

La Boucherie de la Bourse, 5, rue des Filles-Saint-Thomas.

La rue Montorgueil,
perpétuellement animée.

La rue des Petits-Carreaux prolonge la rue Montorgueil vers
la rue Poissonnière. Il faut jouer des coudes pour circuler !

Moment de détente sur les marches du Palais
Brongniart après le rush autour de la corbeille.

Les Grands Boulevards, à la hauteur de la porte Saint-Denis.

Livraison de tonneaux rue de Cléry.

L'horloger établi au 131, rue Montmartre a conservé
la grille de l'ancien cabaret À la Grâce de Dieu.

Un grossiste en tissus au 78, rue d'Aboukir.

Sur le pas de la porte ou au balcon, les employées
de la fabrique de plumes du 21, rue d'Antin.

Rue du Quatre-Septembre, à deux pas de la Bourse et de ses affaires.

Au comptoir du 53, rue du Caire, on débite les journaux
aussi bien que les verres d'absinthe.

Le marchand d'enseignes... n'est jamais
si bien servi que par lui-même !

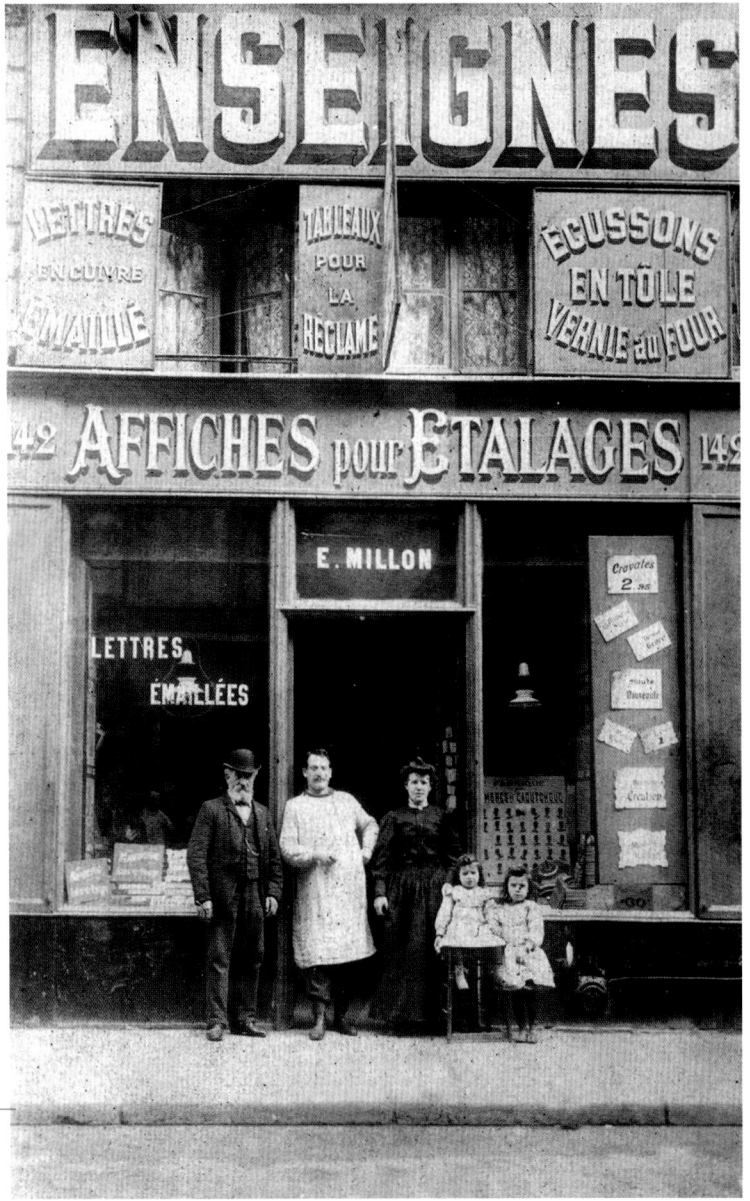

Sanglé dans l'uniforme de rigueur,
le personnel du Café de Paris,
disparu en 1953, au 41, avenue
de l'Opéra.

On prend la pose, rue des Petits-Carreaux...

... tout comme rue Thorel, vers le boulevard de Bonne-Nouvelle.

Un magasin de cartes postales
dans le passage des Panoramas.

Dans le passage Choiseul, lieu de promenade
autant que de commerce.

Rue du Croissant, les vendeurs de journaux attendent fébrilement l'édition spéciale annonçant l'entrée en guerre de la France en août 1914.

Rue Saint-Denis.

3e arrondissement

Le bougnat Rigal,
au 100, rue de Turenne.

"J'ai écrit jadis, et j'y penserai toujours avec la même émotion, que le Marais, perle du troisième arrondissement, était une ville d'art dans Paris. On commence par s'extasier, je ne crains pas le mot, devant les merveilles et les finesses de l'Hôtel de Soubise, où sont conservées aujourd'hui les Archives Nationales, et il y a de quoi, c'est une des visites les plus émouvantes que l'on puisse faire ! Je dis qu'on commence par l'Hôtel de Soubise, mais, aussitôt après, on est saisi comme par l'effroi de l'admiration devant dix et vingt autres hôtels de la même puissance élégante et charmante. Le quartier en est plein. Tantôt splendides et poitrine en avant, tantôt cachés, d'un gris de papillon de nuit, protégés par des cours, ils sont tous pleins de politesse pour les passants. Aussi bien, le regard dépasse ici l'ensemble des maçonneries et file vers les retraites princières de l'Europe. Partout, dans tout endroit où le luxe de construire venait s'ajouter au bonheur de concevoir, on semble avoir pris pour modèle les salons ovales de l'hôtel de Soubise ainsi que la chambre de la Princesse. Ce bâtiment qui vous coupe la parole est le document le plus pur,

Le Carreau du Temple.

le plus achevé que nous possédions sur le goût français et sur l'art ornemental de la Renaissance. C'est comme la cellule-mère de l'architecture digne de porter ce nom. Certes, des mortels en chair et en os n'y vivent plus avec leurs dentelles et leurs souvenirs, et il est peut-être bon que de telles merveilles soient devenues la propriété de l'État, le joyau pour tous. Regardez les piétons qui longent l'admirable maison, et quels passants ! Crainquebille, Monsieur Bergeret, Boubouroche, Monsieur Perrichon, la fille Élisa, Madame Bovary... tout le romanesque français dans sa liberté propre. Eh bien, ces personnages dans ce cadre deviennent des personnages de fresque. Il est impossible de ne pas leur deviner des affinités ravissantes, poétiques, avec le procès-verbal de l'exécution de Louis XVI, avec les Mérovingiens, le Grand Siècle, les grandes dames, les traités, Napoléon, et le reste... qui sont conservés là. Oui, j'ai toujours aimé ce troisième pour sa densité, son côté Paris bien appuyé, et je me souviens d'en avoir tracé les frontières jusqu'à pouvoir les retrouver à l'aveuglette : à l'est, l'église Saint-Gervais et les Archives. Au sud, la Seine, le boulevard Henri-IV. Au nord, l'église Saint-Denis du Saint-Sacrement et le boulevard Beaumarchais... De l'Histoire, rien que de l'Histoire, et cette accumulation de détails de haut goût, de verte tenue, qui entretiennent le sérieux, comme des grands crus dans une cave. Le pays si beau, si riche, si serré, où les sentiments courent au-devant de leur objet, comprend encore comme curiosités touristiques et poétiques : le Temple, les Arts et Métiers. Des Arts et Métiers partent chaque année ceux qui seront l'âme de nos ponts, les héros de la métallurgie et de l'électricité. Mais le Temple est encore une vieille corde qui a sa musique propre. L'institution des Chevaliers du Temple avait ses origines à Jérusalem et fut approuvée par une bulle qui porte la date de 1113... alors, vous vous rendez compte ! Moi, quand je rôde et tout le temps que j'ai rôdé dans le Temple, je n'ai cessé de songer à Alexandre Dumas, à Pichegru, aux Louis de notre Histoire, à la mort du Dauphin, à Madame Royale, à toute cette graisse des aventures antérieures qui font de la France un roman de cape et d'épée. Rien ne subsiste de tout cela aujourd'hui. L'Hôtel de Soubise est une Administration, le Temple un carreau... L'ensemble est une fourmilière de rues commerçantes qui se jettent dans la place de la République, cette mer noire de l'endroit. Et pourtant, les ombres sont là, comme des sentinelles, avec leurs mélodies.

Les employés du grossiste Thouenin, 13, rue Michel-le-Comte.

La rue Saint-Martin, à l'intersection
de la rue Rambuteau.

La Grande Teinturerie Sébastopol,
rue du Bourg-l'Abbé.

Au Carreau du Temple, l'emplacement de Madame Bloc,
marchande de couronnes.

Déballage de chaussures au Carreau du Temple.

La rue de Bretagne, animée et commerçante, avant qu'elle ne perde sa rive des numéros pairs pour cause d'élargissement.

La rue Béranger. À droite, le passage Vendôme offre une liaison avec le boulevard du Temple.

Place de la République, le commerce de tissus
Au Pauvre Jacques... auquel succédera bien
plus tard le magasin Tati.

Perspective sur la rue Elzévir... dont les riverains
fixent l'objectif du photographe.

Petits artisans du Marais au 128,
rue Vieille-du-Temple.

La fontaine de Joyeuse, aujourd'hui
inaccessible, au 41, rue de Turenne.

La rue Saint-Claude vue depuis le boulevard Beaumarchais.
La Belle Jardinière s'affiche sur le mur de droite, face à
une modeste mercerie-papeterie : la grande distribution
concurrence déjà le petit commerce.

La maison Papouin à l'angle des rues
Saint-Gilles et Villehardouin.

La cour d'une imprimerie de cartes
postales, rue des Arquebusiers.

La concierge du 4, rue des Haudriettes
et des locataires de l'immeuble.

La populaire rue des Francs-Bourgeois, marquant
la frontière entre les 3ᵉ et 4ᵉ arrondissements.

En l'absence du tout-à-l'égout, les vidangeurs
s'activent devant le 108, rue du Temple.

Au 172, rue du Temple, un magasin
de corsets propose le gros et le détail.

La rue Vieille-du-Temple, à hauteur
de l'Imprimerie nationale.

4e arrondissement

Sous les arcades de la place des Vosges.

« Je ne puis me transporter, même en pensée, et je suis sûr que vous êtes comme moi, que vous éprouvez les mêmes appels, je ne puis me transporter dans le quatrième arrondissement de Paris sans songer hautement, intimement, et dans le même instant, à Victor Hugo et aux peintres. Ils sont unis pour moi dans la même sensation d'amour, de violence, de tendresse et d'art. Le quatrième, à Paris, ce sont les quais – dont on ne sait s'ils ont été inventés avant ou après la peinture –, l'Hôtel de Ville, l'Hôtel-Dieu, les îles, les arbres et les péniches, et enfin les tours de Notre-Dame, humaines, trop humaines, pourrait-on dire. C'est la poésie monumentale et familière jetée au gré des vents et pour les seuls caprices du passant. J'adore retrouver ici, et sentir autour de moi, avec ses pigeons et ses nuages, le bonheur d'exister et la tristesse de se souvenir. Pourquoi disais-je le Père Hugo ? Parce que ce merveilleux bonhomme, le Père Noël de notre littérature, avait sombrement flairé tout ça dans l'accumulation des détails parisiens et le foisonnement des rêves et des idées. Le parvis, les nuances des vieilles constructions, les toitures, les portes, et ce square tout neuf derrière lequel vivote l'Association générale des Étudiants, les rues qui se nouent dans l'ombre de l'histoire, les ponts, les fleurs, toute une richesse de petites et de grandes choses, et

Place des Vosges, au pied
de la statue de Louis XIII.

les chansons qui rôdent autour, c'est un des plus fins moments de la sensation humaine... Plus loin, il y a Rivoli, Saint-Antoine, mais, d'abord, les îles avec les amis qui vivent ou qui vivaient dans cette délicatesse de touche : Charles-Louis Philippe, Lucien Jean, Léon Blum, Chanvin, Dignimont, tous, grâce à cette situation dans Paris, apparentés à Marquet, à Monet, à Utrillo et à Maximilien Luce. Heureux mortels que ceux qui peuvent ouvrir leurs persiennes les matins de joie ou de mort sur cette merveille bâtie... Les tours de Notre-Dame, au-dessus desquelles Rodin voyait évoluer des orages et des aigles, qui évoquent Berlioz, les guerres, les rois et le cinéma ! Il y a là une manière de bonheur d'expression qui monte à la tête, des romances douloureuses et justes dont on ne peut plus se défaire, un ensemble de teintes et d'allusions qui foncent encore la belle réalité. Que de fois j'ai suivi des passants jusqu'aux livres des quais, et des femmes douces et pensives jusqu'au moment où se refermait sur elles la porte de la cathédrale. Ces

passants disaient dans l'arrondissement la supériorité de la vie sur la mort, le triomphe de la pierre sur la poussière. Au loin, la Seine fredonnait des choses aux pêcheurs, à ceux qui regardent leur salive tomber gravement dans les remous glauques, et qui sont poètes à leur manière... On comprend que les peintres, les meilleurs parmi nos peintres, se soient assis là des heures, des années entières, rien que pour admirer l'échange des valeurs sur les ardoises et le jeu souple de la plus belle lumière du monde sur un des endroits de la planète où le cœur et l'esprit se sont liés d'amitié pour la plus noble gloire des souvenirs. Je suis friand de ce gris qui a reçu, depuis que le démon de l'analogie occupe les sensibilités de ce monde, toutes les qualifications possibles. Mais le gris de la Préfecture de Police n'est pas le gris du Châtelet, qui n'est pas celui de l'Hôtel de Ville, lequel n'est pas non plus celui des pigeons de l'ensemble... Il faut faire une fois de plus ce voyage noble et ravissant, retourner aux sources, apprendre dans ce quatrième arrondissement en quoi consiste exactement Paris. Tout remonte à la mémoire, même pour ceux qui n'ont pas eu l'occasion de savoir qu'il y a un passé de poids. Ils retrouvent alors les souvenirs, comme les maîtres retrouvent les règles...

Au marché aux Fleurs de l'île de la Cité.

Le marché aux Oiseaux alterne
avec le marché aux Fleurs, quai de Corse.

Rue de Venise, un terrain de jeux pour
les enfants du quartier Beaubourg.

Rue Simon-le-Franc, une marchande
ambulante et une accordéoniste.

La rue Pavée à son débouché sur la rue de Rivoli.

Au pied de la statue de Beaumarchais, rue Saint-Antoine.

Avenue Victoria, le ballet des omnibus au départ de l'Hôtel de Ville.

Au 74, rue de l'Hôtel-de-Ville en août 1914. Derniers accords avant le carnage de la Grande Guerre.

Rue du Roi-de-Sicile.

Rue des Francs-Bourgeois.

Le restaurant de la famille Goldenberg
au 15, rue des Rosiers dans les années 1930.

Rue Sainte-Croix-de-la-Bretonnerie.

La rue Vieille-du-Temple vue de la rue de Rivoli. Une affiche indique
que l'école Pigier enseigne déjà la sténo, la dactylo et la comptabilité.

La rue de Turenne, à l'angle de la rue Saint-Antoine.

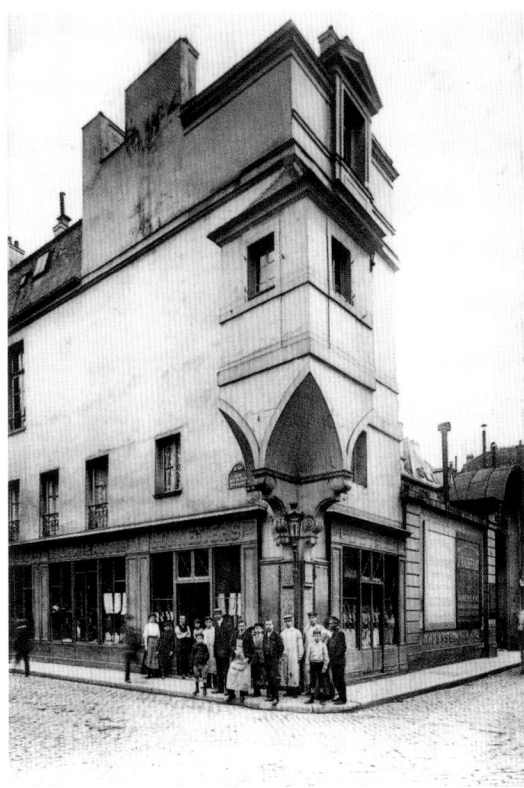

L'hôtel Lamoignon, à l'angle de la rue des Francs-Bourgeois et de la rue Pavée.

Illustration de la fable de La Fontaine, *Le Savetier et le Financier* ? Une modeste échoppe de cordonnier côtoie le noble portail de l'hôtel des Ambassadeurs de Hollande au 47, rue Vieille-du-Temple.

Place des Vosges.

Le quai Saint-Paul, avant qu'il ne devienne
quai des Célestins.

5ᵉ arrondissement

Les employés de la maison Perrier, rue des Irlandais.

"On ne sait peut-être pas bien où sont situés les autres, et pas seulement à l'étranger, mais dans la province française, et même à Paris. Dites à brûle-pourpoint à quelqu'un : rue des Pyrénées, rue Henri-Rochefort, ou, plus simplement, boulevard Bonne-Nouvelle, rue du Faubourg-Saint-Denis, neuf fois sur dix, il ignore où nichent exactement ces choses pourtant véridiques. Mais dites : boulevard Saint-Michel, aussitôt vous voyez que vous enfoncez une porte ouverte. Et le boulevard Saint-Michel est bien une porte ouverte. Une porte ouverte sur la pensée universelle, sur le monde amusant et pensant. C'est cela, la gloire du cinquième ! C'est d'être le loup blanc des quartiers de notre planète un peu grise. Je ne nommerai donc pas, pour les Parisiens, les points merveilleux de ce merveilleux coin de France : le Panthéon, la Sorbonne, les cafés où j'ai connu personnellement Verlaine ; la place, avec sa gare, ses bouquins et ses brasseries, le va-et-vient des cerveaux et des jeunes désespoirs, les bérets et les folies, les terrasses et les excellents professeurs, les ministres, les grands diplomates étrangers qui ont fait leurs études à Paris, enfin tout ce que vous savez, tout ce qu'on sait sans le savoir ! Non, je ne nommerai rien de tout cela qui constitue la mémoire poétique et solide d'une foule de mortels répartis dans le monde sous

Place Maubert, l'attente du tramway.

La rue du Chat-qui-Pêche,
parmi les plus étroites de Paris.

forme d'anciens de la rue de la Bûcherie, de consuls, de maîtres de français, de poètes d'avant-garde et d'éternels étudiants. Mais j'aimerais que sous les paupières de chaque lecteur passât un frisson charmant, un peu triste. Un de ces frissons qui disent, entre autres choses, à des milliers de Parisiens et de provinciaux – car ici, ils ont fort à confesser ! – qui disent que, sans avoir eu le temps de faire des études, ou l'occasion, on n'en est pas moins de cet endroit du monde où l'amour, le jeu, le savoir, le sérieux et la folie se mêlent le plus agréablement et le plus finement qu'il soit possible à des éléments aussi divers de se mêler. Pourquoi ? Parce que l'on se trouve (jeune, surtout jeune !) en un lieu où la pensée aboutit au meilleur d'elle-même, où les arbres de la jeunesse portent leurs fruits les plus réussis, où les sottises elles-mêmes ont une projection qui les excuse et les sauve. On fait des vers sans le vouloir ; on croit au charme de la vie ; à l'importance poétique de la vie ; aux femmes de la vie ; aux idées de la vie ; ... bref, la radio vous dira tout cela aussi bien que moi, mieux que moi, par la multitude de ses interprètes, de ses ressources. Elle sait, elle aussi, bien que plus jeune, et de combien ! elle sait que le cinquième arrondissement de Paris, pelouse et pesage d'étudiants, de bohèmes (chaque âge a les siens...), décor de facilités parmi les difficultés, que ce cinquième, avec ses écoles et ses cafés, son sérieux et ses blagues, son sommet et ses dessous, est en quelque sorte l'Olympe de Paris. Ah ! comme disait Verlaine, retournons-y ensemble...

Rue de la Bûcherie.

La rue Mouffetard, une des plus
anciennes et des plus commerçantes
de l'arrondissement.

Rue Galande.

Grande épicerie de la rue Monge, à hauteur du métro Censier-Daubenton.

Au carrefour des rues des Feuillantines et Gay-Lussac.

La rue Monge, traversant l'arrondissement de Maubert aux Gobelins.

La laiterie Commandeur, au 21, avenue des Gobelins.

Rue de la Harpe.

Militaires et ouvriers au repos à la terrasse du Cercle Mouffetard.

Un chahut d'étudiants devant le Collège de France, rue des Écoles.

Le lavoir Saint-Nicolas, rue de Poissy.

La rue des Grands-Degrés pendant la crue de janvier 1910.

Le cortège de la Mi-Carême, rue Gay-Lussac.

Rue de la Montagne-Sainte-Geneviève.
En fond de perspective, on reconnaît l'église
Saint-Étienne-du-Mont.

Rue de la Parcheminerie.

La halle aux Vins du quai Saint-Bernard. La concurrence de Bercy lui sera
fatale... et elle se verra remplacée par les bâtiments de la faculté de Jussieu.

La rue Clotaire, à deux pas du Panthéon.

L'étroite rue des Carmes
dont la percée guide le regard
vers la flèche de Notre-Dame.

6ᵉ arrondissement

Au 64, rue Saint-André-des-Arts, le personnel ne dément pas l'enseigne de ce restaurant de quartier.

" L e sixième arrondissement !... Je n'hésite pas à dire que c'est celui que j'ai longtemps préféré. Il est plein, il est riche, il peut vivre en autarcie, comme on dit. Il est murmurant et créateur. Au premier regard, le sixième est l'arrondissement de la littérature, des cafés les plus célèbres, surtout depuis la fin de l'autre guerre. Et ceux qui ne sont pas du pays ont choisi il y a beau temps la place Saint-Germain-des-Prés comme patrie d'adoption. Elle en vaut la peine. Car c'est une fine clairière d'esprit et de jeunesse où l'on aime, à toute heure du jour, rassembler ses souvenirs, attendre ses amis et faire le point. C'est dans cette charmante portion de capitale que l'on se renseigne le plus exactement sur l'état présent de la poésie, du cinéma, de la politique et des dessous de la vie parisienne. Que de personnalités aujourd'hui illustres ont bu là des bocks entre camarades et remettaient le monde en question avant d'être aux leviers de commande. Que de soirs et de jours j'ai passés là en compagnie de Valéry, de Ravel, de Giraudoux, de Segonzac, de vingt autres, tous amis intimes de l'incomparable paysage. Diderot et Descartes, les grands éditeurs, des galeries de tableaux, les Beaux-Arts, Saint-Sulpice et le souvenir de Renan, les rues du vieux Paris intellectuel et marchand qui se mêlent comme les tiges d'un bouquet, la jeunesse qui piétine avant de s'élancer vers la gloire et les honneurs, les petites revues chères à Maurice Barrès, l'Encyclopédie française, dix, vingt, trente hôtels accueillants où se rencontrent les fondateurs d'école, les libraires, les professeurs, enfin l'amour et la méditation, tout cela c'est le sixième, c'est-à-dire un foyer chaud. Puis cette rue de Rennes qui part de Saint-Germain-des-Prés vers l'infini, ce boulevard Raspail, la rue du Bac, la place Saint-Sulpice avec ses oiseaux et ses silhouettes, des restaurants comme on en chercherait vainement ailleurs. Que d'étrangers, venus ici pour bavarder quelques instants avec un universitaire, un peintre, ont fini par y élire domicile et n'en bougent plus. Ils y ont trouvé la flânerie, le sérieux, les renseignements indispensables pour comprendre les idées nouvelles, et aussi une exquise clémence à l'égard de l'homme. Mes

Les blanchisseuses du 17, rue de Savoie devant leur boutique.

Les bouquinistes sur le quai des Grands-Augustins. Au fond à droite, on aperçoit le chantier du tunnel du métro sous la Seine.

souvenirs les plus récents vont là, à cette musique des pierres et des jeux de rues, à ces vitrines, à ces brasseries où il semble que tout s'organise en vue de supprimer la détresse et de la remplacer par le goût de vivre, par la douceur de s'asseoir à côté d'un confrère, d'un savant, d'un artiste. La rue Bonaparte, Adrienne Monnier et ses livres, Gertrude Stein, qui vécut ici, la rue du Dragon, mon vieil ami Thibaudet, le Surréalisme d'avant la guerre, les bibliophiles, ces beautés et ces relations font pour moi du quartier une irremplaçable famille.

Pour finir, j'ajoute et je suis bien sûr de parler au nom de l'arrondissement, le sixième ne devrait être constitué et nourri que de noms propres. D'ailleurs tout s'organise autour de ces noms, les vieux de la vieille et les jeunes de la veille, chacun a les siens. Pour moi c'est Alfred Jarry, inventeur du Grand Ridicule, comme on dit le Grand Pan, mon ami Marcel Olivier, le cher disparu, qui ne ratait pas un samedi, la romancière Hedwige de Chabannes, l'auteur d'un admirable roman : *La salle des pas perdus*, Maurice Reclus et sa connaissance affolante de la Troisième République, Jean Cassou, Léo Larguier historiographe du pays, le Bost de la rue de l'Abbaye, Marchesné, autre grand disparu de chez Lipp et enfin mon camarade Beucler avec qui des mois durant nous avons fait la fermeture de tous les cafés de cette petite patrie.

La rue Saint-André-des-Arts à son débouché sur la place du même nom.

Voiles et perruques au 29, rue Saint-Placide.

Un brocanteur du quartier Saint-Sulpice.

La rue des Ciseaux, au bout de laquelle
on devine l'église Saint-Germain-des-Prés.

Au débouché de la rue de Rennes sur le boulevard du Montparnasse.

Terrasse étroite et grande affluence au 146, rue de Rennes.

La librairie médicale Maloine, au 27, rue de l'École-de-Médecine.

Une boutique diététique au 206, boulevard Raspail.

La cour du Dragon, ouvrant rue de l'Égout,
aujourd'hui absorbée par la rue de Rennes,
à Saint-Germain-des-Prés.

Rue Garancière, au chevet
de l'église Saint-Sulpice.

Cour du Commerce-Saint-André. Marat y avait son imprimerie et Danton sa maison, située dans une section du passage emportée par le percement du boulevard Saint-Germain.

À l'Union des Boulangers, 7, quai de Conti, on se restaure au rez-de-chaussée et on se mesure au billard à l'étage.

Rue Bréa.

Depuis la rue Notre-Dame-des-Champs, le carrefour des rues Vavin et Bréa.

À l'angle de la rue Dauphine et du quai des Grands-Augustins. L'omnibus
marque l'arrêt pour laisser descendre une passagère.

Une foule endimanchée a pris possession de la terrasse
du Mazarin, au 2, rue de l'Ancienne-Comédie.

Rue de Sèvres, à la hauteur du carrefour de la Croix-Rouge.

Rue de l'Abbé-Grégoire.

Le carrefour Buci.

Un bureau de nourrices, rue du Cherche-Midi.

7e arrondissement

Du toit au tout-à-l'égout,
une maison de confiance
au 14, rue Clerc.

« I l est au cœur de Paris une sorte de zone franche, une clairière qui ressemble à une tapisserie zébrée de gris, de beaux ocres, entre la Seine et le Mont-Parnasse. De cette tapisserie qu'aucun gratte-ciel ne crève, seul émerge un clocher gothique. C'est le septième arrondissement. Celui du Dôme des Invalides. Disons, en passant, que la Tour Eiffel appartient un peu à tous les arrondissements, qu'elle est le vase de ces fleurs, et revenons au septième. Ce septième où, çà et là, pour réjouir le regard, apparaissent ces toits mansardés qui masquent les demeures les plus aristocratiques de l'agglomération parisienne. Chacune a son portail majestueux et clos, tantôt austère, comme le 46 de la rue du Bac, mais embelli de guirlandes, d'amours et de nymphes à l'épiderme écaillé. Au fond de la cour pavée qu'encadrent des entresols, où Veuillot et Paul-Louis Courier soignaient leur écritoire à vitriol, l'hôtel aligne ses deux rangées de hautes fenêtres et son perron à marquise. Dans mainte construction, la vraie façade sculptée est du côté du jardin, souvent parc, le dos tourné à la rue d'où viennent les bruits et les indiscrétions. Avant la guerre, les plus grands noms de l'histoire se lisaient au fronton de

À l'angle de la rue de Sèvres et de la rue du Bac.

tant de portails dont le passant était quasi instinctivement fier, peut-être à cause de la musicalité des syllabes de chez nous, peut-être pour ce que ces noms représentent de glorieux faits divers français. Vous savez comme moi que l'État a appelé à lui, de l'Hôtel Biron aux bureaux de la Radiodiffusion, les belles demeures. Les murs ont remplacé les grilles ; les plantons sont venus prendre la place des Suisses ; les autos ministérielles ont chassé les équipages. Bien sûr ! il faut de tout pour faire une histoire et le moment doit toujours venir où la communauté se reconnaît le droit de participer aux biens de ce monde, mais, touchant notre septième arrondissement, il semble que l'on soit allé vite en besogne. Il est tout frémissant encore de murmures : rue de Varenne, rue Barbet-de-Jouy, rue Oudinot, rue de l'Université... Où est la duchesse de Maufrigneuse ? Où est Rubempré ? Où sont les lions de Balzac et de Sue ? Où sont les diaboliques de Barbey d'Aurevilly, ou, plus près de nous encore, les comtesses de 1900 en bottines à boutons et chapeau plat qui, dans leur accoutrement de chaisières, gardaient au faubourg la familiarité charmante des vieilles races ? C'est ici que songeait Chateaubriand, c'est ici que la maison de Gabriel convenait aux regards. Quelle

musique ! Ces arbres centenaires, cette couleur de muraille, ces escaliers, ces bassins, ce fer forgé... qui ne sent dans cet arrondissement si poétique et orné, une sorte d'importance qui monte le long du cœur comme le mercure dans un thermomètre ? Ce n'est pas sans frémir que l'on pense à la folie des hommes, aux excès dont ils sont capables. Que peut-il advenir du dôme rutilant des Invalides et du sarcophage de marbre qui abrite son plus grand mort ? Que de fois je me penche pour jeter les yeux sur la Tour Eiffel dont nous ne pouvons pas plus nous passer que d'un soleil. Tour Eiffel, jaune et ocre, fine et légère comme une cathédrale de Monet, comme le grand papillon-roi des rêves modernes, et qui pose une ombre si fraternelle sur les merveilles du septième arrondissement : le quai d'Orsay, la place du Palais-Bourbon, les restaurants du Cherche-Midi, la Gare des Invalides trait d'union entre le passé et l'avenir.

Au Bon Marché, rue de Sèvres.

La rue Saint-Dominique à l'heure des courses.

Devant la fontaine de Mars, rue Saint-Dominique, passe l'omnibus
reliant le Champ-de-Mars voisin au canal Saint-Martin.

La vaste halle du marché de la rue Jean-Nicot.

Partie de pêche improvisée rue Augereau.

Au 43, rue du Bac... et non au Puy-en-Velay !

Une pâtisserie alsacienne, au 22, rue du Bac.

Rue de Grenelle.

Rue de la Comète.

Les mariniers ayant secouru les sinistrés de la crue de 1910 réunis
au Café du Centenaire, boulevard de La-Tour-Maubourg.

Le café-tabac à l'angle de l'avenue Rapp et de l'avenue
de la Bourdonnais, à côté de la tour Eiffel.

Le grand marché de la place de Breteuil.

Au *Magic City* du quai d'Orsay, premier parc d'attractions de Paris, détruit en 1942.

Le commissariat du Gros-Caillou, rue Amélie.

Place de l'École-Militaire, les voyageurs montent en voiture
sous l'œil attentif du contrôleur.

8e arrondissement

Ce Beurre-Œufs-Fromages établi au 41, rue d'Amsterdam est le prédécesseur du célèbre Androuet.

"Dans ma jeunesse, le huitième représentait, en ce qui concerne particulièrement les Champs-Élysées, quelque chose de lointain, voire de sauvage. C'était un endroit pour cavaliers, pour piétons sensibles aux horizons, à l'infini. Il y avait là des hôtels, des gentilhommières, des résidences de danseuses. Mais on ne s'y donnait pas rendez-vous pour consommer un verre entre camarades. Nous avions les boulevards et la place Saint-Germain-des-Prés ou le Palais Royal. On allait vers les Champs-Élysées avec des pensées d'alpinistes ou de chercheurs d'or. Bien sûr l'histoire y était, les grands souvenirs tournoyaient autour des façades ; les expositions y laissaient des traces de feu. Cependant l'illustre et belle avenue évoquait quelque quartier réservé. Réservé au luxe naturellement, à la haute aisance. Nous, nous allions chercher nos seigneuries ailleurs, et quand il fallait absolument se mettre en route vers le huitième, on ne songeait qu'à des endroits savamment déterminés : l'avenue Montaigne, jadis avenue sombre et distinguée ; on ne songeait qu'au faubourg Saint-Honoré, prolongement subtil et gazouillant encore du vrai Paris, et le huitième finissait par cristalliser autour de la Gare Saint-Lazare, du Parc Monceau, des restaurants à valses enfouis entre la Concorde et le Rond-Point. Les Champs-Élysées d'aujourd'hui, perle de l'arrondissement, semblaient être hors série avec l'Étoile et *le Figaro* aux

Le personnel de Maxim's à la revue, au 3, rue Royale.

deux bouts de la vitrine. Bien entendu, nous étions heureux quand même. Que tout cela a donc changé aujourd'hui ! Nous sommes encore au bord de la Seine, pas pour longtemps d'ailleurs, et l'arrondissement n'y baigne que son austérité monumentale ; mais nous sommes aussi, surtout depuis l'armistice de 1918, à la pointe merveilleuse de Paris. La place Vendôme, la place de l'Opéra, la place du Théâtre-Français ont trouvé à qui parler. Rien ne se passe plus de grand qui ne soit actuellement *Champs-Élyséens*, si j'ose dire : les défilés militaires, les défilés d'élégance, voire les défilés cinématographiques... Soyez assurés que le moderne est là. Paris s'est déplacé du côté de la gloire napoléonienne avec une vitesse que les cerveaux ont quelque peine à concevoir. La simple promenade elle-même, si elle ne vous conduit pas vers ces splendeurs du huitième, est incomplète. Si votre sensibilité vous permet de juger en courant, parfois de la seule plateforme d'un autobus, l'énormité de nuances qu'il y a entre la Gare Saint-Lazare et les Champs-Élysées, vous aurez la notion des progrès accomplis dans ce domaine. Ah ! l'urbanisme va plus vite que la lumière, sans compter que, ce que nous trouvions jadis dans la zone boulevardière se retrouve ici, comme parfumé, vitaminé, remis à neuf ; c'est-à-dire les passants, les bons restaurants, les orchestres, l'amour, le désir... Et ces vastes salles de cinéma qui ont remplacé les cafés chantants, qui versent les mêmes illusions au cœur des victimes du mal d'avenir ! Ici moins de noms propres que dans les arrondissements familiers comme le sixième et le septième, à moins de s'en prendre aux noms des rues et des avenues. Nous sommes entrés tout vivants dans la légende ; nous offrons là au monde murmurant, créateur, et un peu fou, un résumé du monde : c'est New York et c'est l'Orient, c'est l'Amérique du Sud et le roman d'aventures ; mais souvent le long du faubourg Saint-Honoré, si fin, si intelligent, au coin du Colisée où tout enfant j'ai passé mes premiers jours parisiens, rue de Rome encore, place Saint-Augustin, alors un sourire, une réplique, une silhouette vous font songer soudain au Paris traditionnel qui joue sa destinée sur l'esprit. Nous avons bien le sentiment d'une capitale, surtout en passant devant le Palais de l'Élysée, mais d'une capitale qui voit clair, qui sait rester jeune, et qui ne confond pas trop le moderne avec le vrai.

Place de la Concorde, départ des attelages pour les champs
de courses d'Auteuil et de Longchamp.

Rue du Faubourg-Saint-Honoré, devant le palais de l'Élysée.

Rue du Faubourg-Saint-Honoré.

La pâtisserie Dalloyau, au 101, rue du Faubourg-Saint-Honoré.

Place Beauvau, devant le ministère de l'Intérieur.

Place de la Madeleine, les marchands de fleurs
devant l'un des premiers tramways électrifiés.

Place de l'Alma et avenue George-V. Le dirigeable n'est pas saisi sur le vif dans le ciel mais ajouté au tableau comme un élément moderne susceptible de capter les attentions.

Rue Boissy-d'Anglas.

La caserne de la Pépinière, place Saint-Augustin, futur Cercle national des armées.

Rue d'Artois, près de Saint-Philippe-du-Roule, une boutique
vend voitures et harnachements pour chevaux.

Sortie de la messe à Saint-Augustin.

Un groupe de catherinettes sur les Champs-Élysées.

Devant la grille du Coq du palais de l'Élysée, avenue Gabriel.

Le Marigny, au 5, rue des Saussaies.

Rue Bayard.

Pains en tous genres, rue de Moscou.

Ballet d'omnibus, rue Saint-Lazare.

La pharmacie du 29, avenue de Friedland fait
aussi office de laboratoire d'analyses.

Cour de Rome, devant la gare Saint-Lazare.

Le traiteur du 49, avenue Montaigne fait nocturne pendant les fêtes.

9ᵉ arrondissement

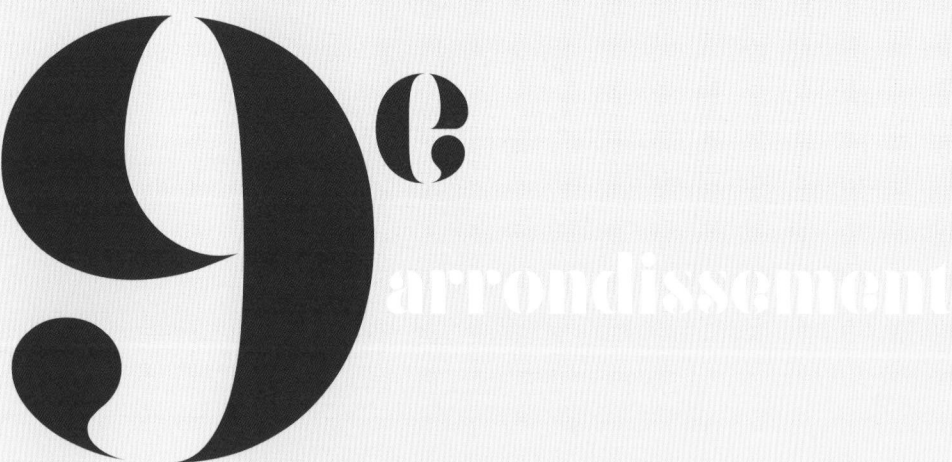

Un crémier, au 3, rue Geoffroy-Marie.

"Neuvième arrondissement, Trinité, Pigalle, carrefour Châteaudun, rue Blanche, Notre-Dame-de-Lorette… Celui-là aussi est connu comme le loup blanc, et il a raison de ronronner dans le cœur de ceux qui aiment son fouillis, son air bon enfant, ses souvenirs familiers, sa noce et ses misères cachées. Peu à peu, le système en colimaçon des arrondissements de Paris va s'agrandissant, prend de l'ampleur. Je sais bien que le neuvième n'est pas aussi grand que Madagascar, mais il a plus de mailles et plus de résonance. C'est en réalité un carrefour, et il n'est pas rare que tous les quartiers s'y donnent rendez-vous le soir. Pas de vrais cafés au sens courtelinesque du mot, pas de molesquine véritablement maternelle et accueillante. Mais des endroits de nuit. Un grand et vaste hall de vers luisants, de lanternes magiques, de phares discrets. Du noctambule à profusion, ce qu'on appelait jadis le Nord-Sud, le bruit de la Gare Saint-Lazare, des girls de music-hall dans la plupart des hôtels, pas mal de théâtres, une basilique, le French-Cancan, des épices dans l'air, des passants comme on n'en voit nulle part ailleurs, pas même à Paris, je vous le jure, enfin des chansons qui pendent aux fenêtres, regardez bien, c'est bien là un pays à part, qui pourrait

Le personnel du Grand Restaurant
à la parade, au 8, place de Clichy.

avoir trois capitales : la place de la Trinité, la place Saint-Georges ou encore le quartier Vintimille, on ne sait pas. Il faudrait diviser et subdiviser cette terre promise à l'infini. Remontez la rue Notre-Dame-de-Lorette, prêtez-vous au chuchotement des êtres, des animaux domestiques, des restaurants, des feuillages invisibles, des concierges, des orchestres qui répètent, et dites franchement si la joie de vivre, même par temps de pluie, ne vous arrive pas de toutes parts, si elle n'entre pas dans vos poches et dans vos poumons par opération magique ?

Être de Paris, c'est parfait, surtout au régiment où il s'agit de montrer ses papiers, de chanter son pedigrée [sic]... Mais se pouvoir dire de la rue de Clichy, de la rue Victor-Massé ou de la place Pigalle, côté sud, dites, est-ce que ça ne vaut pas entre nous, à Toul ou à Raguse, un petit coup de chapeau ? Il y a des gens de Toul et de Raguse qui s'en viendraient bien à pied pour frôler de leur costume national les murs du Casino de Paris, les bars de la rue Pigalle, les portes des magasins du Printemps, ou encore l'Hôtel des Ventes, les hôtels de la rue des Martyrs ; mais peu

de Parisiens de la rue Chaptal, de la rue Montmartre feraient le voyage contraire vers les casernes de l'est ou les plis argentés de l'Adriatique ! Question d'optique et de féerie. Je vois tous les héros de la légende square Vintimille, en bas de chez Vuillard, ou rue de Bruxelles, là où Zola amassait ses collections ; j'y vois Faust et Cagliostro, des musiciens et des poètes, des faiseurs d'or et des marchands de philtres. Paris, dans le creuset de son neuvième, si mal connu, même par les chercheurs de livres rares et de charmants petits hôtels particuliers, peut recevoir la visite du fantastique et du légendaire. La place Pigalle se chante, vous le savez mieux que moi, et fait chanter ses dessous depuis pas mal d'années, mais elle recèle aussi un romanesque violent qui vous empoigne le meilleur du cœur. Il n'y a pas là que des nègres, et des guitaristes, des Marguerite de la nuit et des filles Élisa, pas que des *Bel-Ami* bariolés, autre chose que des marchands de rubis, de tapis ou de salmis. Il y a des savants, des professeurs, des artistes. La société des auteurs, celle des compositeurs de musique forment l'Institut de l'endroit, et les soirs de réveillon, il circule là-dedans une franchise d'âme qui vous réconcilie avec les pires aventures de la vie. Question de vocabulaire. Allez-en chercher un plus juste...

Élégantes et élégants, place de l'Opéra.

Rue de Clichy, à la hauteur du Casino de Paris.

Les peintres improvisent un joyeux échafaudage
devant l'hôtel de Grande-Bretagne, rue Caumartin.

Devant les Folies-Bergère, rue Richer.

Le cabaret de l'Enfer,
boulevard de Clichy, détruit
dans les années 1950.

La rue du Faubourg-Montmartre et sa forêt d'enseignes.

Le café La Nouvelle Athènes, 9, place Pigalle, fut le quartier général des peintres impressionniste et de leurs proches.

Le passage Tivoli, devenu rue de Budapest, vu depuis la rue Saint-Lazare.

La rue Cadet et ses commerces.

L'hôtel des Ventes de la rue Drouot.

La rue Pigalle, célèbre pour ses cabarets.

Dans le passage Jouffroy, entre le boulevard Montmartre et la rue de la Grange-Batelière.

La mercerie Bousser, au 38, rue Le Peletier.

Attroupement au carrefour des rues Cadet et de Montholon.

Devant le dépôt des glacières de la cité Bergère.

10ᵉ

arrondissement

Une belle crèmerie au 93, rue du Faubourg-du-Temple.

ai dit, tout à l'heure, que le sixième arrondissement, dans le collier de perles parisien, était celui que je préférais. Vais-je me repentir publiquement ? Vais-je avouer que pour d'obscures raisons, je préfère aussi, mettons sur le mode mineur, en d'autres localisations cérébrales, certains jours, certaines heures, que je préfère frénétiquement et désespérément le dixième ? Pas seulement parce que les miens y sont morts après y avoir été heureux, pas seulement parce que je m'y vois jeune, plus jeune qu'au Quartier Latin, mais parce qu'il a un tintement particulier à mes oreilles. On y est moins brillant qu'avenue Matignon, moins savant que rue des Saints-Pères, moins poète que rue Victor-Massé, cependant on y est un Parisien profond sur qui pèsent les bémols et les méditations de la capitale endormie. Endormie ? Non, et c'est ici que je voulais en venir. Ailleurs on danse et on chante, on s'invite cérémonieusement. Tout continue de vivre passé certaines heures. Ici nous sommes déjà dans le trésor des Humbles. Il y a une certaine richesse de façades, d'impasses, de croisements de rues, des soupirs furtifs sous des voûtes, des envies de rester là avec son métier, sa famille, ses plats préférés,

La pharmacie du 30, boulevard de Magenta.

il y a des autobus qui ont l'air égaré, des magasins, des magasins modestes et gris, des jeunes filles dans le brouillard, de l'étude, de l'application, une violence juste et fière, des couleurs qui ne cherchent pas à voir trop grand, enfin une ambiance, comme on dit, qui me jette exactement dans une mélancolie ravissante. J'ai des souvenirs de famille et de camaraderie pour toujours liés au Drouant du boulevard de Strasbourg, à la rue du Faubourg-Saint-Martin au dos voûté, aux doigts qui craquent, à l'église Saint-Laurent qui ne sait pas trop ce qu'elle fait là, souvenirs liés encore à l'ancien tramway La Chapelle-place Saint-Sulpice, oui, des souvenirs auxquels je tiens plus qu'à mainte soirée d'acclamations et de diamants passée sous des lumières moins pensives. C'est vrai, mon dixième est pensif ; ceux qui l'habitent me comprendront, je suis des leurs ; ceux qui l'ont déserté me comprendront aussi. Que de fois ma vie ne se vivait qu'entre la place Saint-Germain-des-Prés et la rue Château-Landon où m'attendait ma mère, et plus tard, quand celle-ci eut disparu, ma vie continua de se vivre, des semaines entières, un taxi poussant l'autre, entre les mêmes pôles. Mes amis, il y a des blanchisseuses, des « vins et charbons », des sourires de maisons, des merceries !... Ah, je ne vous dis que ça ! À vous, Riéra, d'écrire l'histoire anecdotique et musicale de ce coin de Paris qui n'a pas de panache blanc. Laissez-moi son cœur et ses entrailles. Souvent, les yeux au plafond, je revois dans une même image fulgurante et fraternelle le métro aérien qui sort des grottes du neuvième arrondissement, les échappées vers les banlieues, les deux gares avec leurs ronflements et leurs soldats, et enfin, comme un enchantement sur cette application de souvenirs, le canal Saint-Martin, frontière naturelle de cette patrie. Plus bas est l'Hôpital Saint-Louis, une des curiosités du lieu. Mais le canal et ses mélodies si douces, si bleues, avec ses enchaînements robustes et romanesques, la Gare de l'Est où tant de fois, à n'importe quelle heure du jour et de la nuit, j'ai conduit des amis à leurs rapides, simplement pour noyer mon vieux crâne dans les ombres et les fumées, pour être heureux par l'absurde, m'emplissent, oui, je dis bien, m'emplissent de gaîtés rudes, saines, comme une noce villageoise. Bien sûr, le dixième n'a pas été inventé exprès pour plaire, nous sommes entre nous : on n'y danse pas tous en rond... mais on y a les membres au chaud, dans la modestie, dans le vrai, et l'on entend aussi, par le sifflet des locomotives, le désespoir baudelairien avec son fumet de Paris...

Boulevard de Strasbourg avec, au loin, la gare de l'Est.

La rue du Buisson-Saint-Louis... et tous ses enfants !

Le café-concert L'Eldorado, boulevard de Strasbourg.

Le Concert des Galeries, au 8, rue du Faubourg-Saint-Martin.

Le bouillon Chartier au 16, rue de la Fidélité.
En arrière-plan, l'église Saint-Laurent.

Le passage Brady, entre le boulevard de Strasbourg
et la rue du Faubourg-Saint-Denis.

Rue La Fayette.

Une succursale des cafés Biard à l'angle des rues
du Faubourg-Saint-Denis et des Petites-Écuries.

Rue du Faubourg-Poissonnière.

Le café-concert La Scala, boulevard de Strasbourg.

La rue du Faubourg-Saint-Denis... dont seul le trottoir
de gauche est en effervescence.

Le faubourg Saint-Martin, aussi ancien et presque aussi animé
que son voisin le faubourg Saint-Denis.

Une station de fiacres, avenue Parmentier.

Rue de Marseille, avant le départ de l'omnibus
pour le Champ-de-Mars.

À la station de métro Lancry, aujourd'hui Jacques-Bonsergent,
dont la sortie n'est pas encore équipée de son fronton.

Le marché Saint-Quentin et la rue de Chabrol.

Place Sainte-Marthe.

Magasin de cycles, au 210, rue La Fayette.

Le canal Saint-Martin parcouru par les péniches
et bordé d'entrepôts et de lavoirs.

Une écluse, non loin de la passerelle Bichat.

11ᵉ arrondissement

"Le onzième arrondissement est celui de la République, dont la station de métro, en carrières à surprises, en monte-charges inattendus, est une des plus curieuses du réseau. On peut la visiter comme on visiterait des grottes illustres et grouillantes. Flèche symbolique, autostrade truffée de piétons et de camionnettes, d'autobus et de vélos, le boulevard Voltaire, droit comme un héros, unit la République à la Nation, et le mariage de ces trois noms m'a toujours fait rêver sur place...

Place de la République ! Rendez-vous bruyant, encombré, parfois haut en couleurs de tous les représentants de commerce de France et de Navarre. Place de la République ! Dirai-je rendez-vous de la province aisée qui veut cumuler les affaires et les plaisirs de la capitale ? qui espère trouver là son cœur fiévreux ? Se doute-t-on qu'à trois stations de métro, en ligne droite, de l'autre côté de Ménilmontant, le cimetière du Père-Lachaise, qui appartient au vingtième, offrirait au hasard de ses allées paisibles, l'âme plus réelle, l'âme errante de Paris, la substance invisible de ses gloires, de son art et de son passé. Nous y reviendrons.

Un bar, au 14, rue de la Roquette.

Mais c'est une échappée qui ne passe pas inaperçue place de la République. Celle-ci est moins éloquente que ses entours, mais elle porte en soi une puissance robuste, souvent maternelle. Il y a ici d'autres présences monumentales, les églises Saint-Ambroise, Saint-Joseph et Sainte-Marguerite : elles sont peu connues hors les frontières et jouissent d'un apaisement qui va loin dans le cœur. Mais les quartiers ont des noms qui conviennent à la poésie des souvenirs : Charonne, Roquette... Il y a très longtemps, je venais rendre visite à un charmant camarade qui habitait rue Chanzy ou rue de Belfort, et nous allions ensemble admirer les forains des boulevards. La base du onzième est formée par le faubourg Saint-Antoine, une des voies les plus anciennes de Paris et qui sut jadis prêter ses mélodies et ses grâces à tant de cortèges royaux de fiancées princières et de souverains attendus. Mais c'est aussi la cage aux rossignols révolutionnaires. C'est ici que les mouvements de

masse se sont nourris, ici qu'ils grondèrent et c'est l'âme même de cet arrondissement qu'ils lançaient vers les autres leurs avant-gardes exaltées et courageuses. Très haut, debout sur un pied aérien, le génie de la Bastille prend son vol immobile. Une pierre noircie dans une station de métro indique l'emplacement de la forteresse qui paya pour tant d'autres cachots. En remontant vers le Nord par le boulevard Beaumarchais et tant de rues qui portent le nom de philosophes-politiques, la Folie-Méricourt évoque les vedettes féminines du dix-neuvième siècle : Fanny Held, Mariette Sully, Blanche de Montigny, qui jouèrent ici l'opérette en maillot rebondi. Enfin voici le Cirque d'Hiver que j'ai largement fréquenté jadis, car le cirque est le moment littéraire de la jeunesse. Il donne avec l'Alhambra un cachet esthétique à l'arrondissement et le situe dans la ronde.

Une grève des ouvriers du meuble au faubourg Saint-Antoine
provoque une effervescence qui réjouit les écoliers.

La station Parmentier peut s'honorer d'une boîte aux lettres dernier cri.

Communiants à la sortie de l'église flamande
de la rue de Charonne.

Haut-de-forme ou melon ? Histoires de chapeaux, avenue de la République.

Rue du Chemin-Vert.

Portefaix assemblés au croisement de la rue Saint-Maur
et de l'avenue de la République.

Le passage Alexandrine, ouvrant rue Léon-Frot.

La rue Japy et son gymnase.

Devant le bureau de poste du 87, boulevard Voltaire.

Rue Oberkampf.

Les enfants de la rue de Montreuil... dont l'un est juché
sur des échasses.

Au marché du boulevard Richard-Lenoir.

Rue Auguste-Laurent.

La rue de Lappe vue depuis la rue de la Roquette.

À l'angle des rues Sedaine et Popincourt, la boucherie fait pendant
au Familistère parisien, magasin à succursales, également présent en province.

Foire à la ferraille sur le boulevard Richard-Lenoir.

Rue de Charonne.

Proclamation solennelle du garde-champêtre de la commune libre
de la Bastille sous la protection de la force publique.

Dans ce café à l'angle des rues Saint-Ambroise et de la Folie-Méricourt,
les garçons bouchers ont fondé un club dont les membres doivent
gaillardement afficher un quintal ou plus sur la balance.

12ᵉ arrondissement

Le bistrot du 13, passage Brunoy dans l'îlot Chalon, non loin de la gare de Lyon.

"L e douzième, comme chacun sait, ou, du moins, comme chacun le saura désormais, c'est le foyer de la Gare de Lyon. D'autres arrondissements ont des gares, mais celui-ci possède la plus fameuse. Elle est, de toutes, la plus connue. Sans doute pour des raisons d'aventures. Et il faut ajouter qu'elle occupe dans cet arrondissement, déjà si vaste par lui-même, une véritable seigneurie. Tout le bas de l'arrondissement, du Pont de Bercy, là où se trouve un coin nommé Pas des Mousquetaires et le magasin des fourrages militaires, jusqu'à la Porte de Charenton, tout le bas de l'arrondissement lui appartient, avec vue sur la Seine. C'est le royaume rouge et violent des entrepôts de Bercy, avec les célèbres rues de Chambertin et de Pommard. Ah ! nous sommes en France ici, de par la sonorité des noms et la richesse des odeurs. Dans le voisinage, les rapides ont beau provenir d'Istanbul, de Naples, de Venise... la note qu'ils apportent se fond dans un décor purement français, et même dans le décor traditionnel d'une certaine peinture, celle de Marquet, de Monet, de Maximilien Luce, de dix autres qui savent que je songe à eux, tantôt appuyé au Pont National, et tantôt noyé dans les souvenirs. Il y a dans la rue Picpus, au nom si mystérieux, presque face à face, deux institutions qu'il faut connaître pour avoir droit au titre de piéton : c'est un asile de vieillards et la maison de retraite

Aux Caves de Picpus,
3, rue de Tahiti.

le bois de Vincennes et, certains soirs d'été, semble se prolonger vers les musiques et les vapeurs charmantes de la campagne… Ici l'eau et le rail, les entrepôts, les ateliers, les grues et les péniches jouent les grands premiers rôles, effacent les signes historiques du lieu groupés comme des branches autour de l'avenue Daumesnil, épine dorsale du douzième. On ne songe guère à l'Hôpital Saint-Antoine, à l'Hôpital Trousseau, ni à la manufacture des tabacs, ni à l'Oratoire de Picpus, qui sont pourtant les curiosités de la contrée. Mais la Seine est trop belle, le métro aérien qui l'enjambe quai de la Rapée a trop d'ailes dans son fracas… Ici le paysage sort de son cadre. Ajouterai-je qu'avec le douzième nous abordons pour la première fois le chapitre des maréchaux de France qui se tiennent par la main autour de Paris. Mais, dans un coin de ces solennités, on aperçoit aussi l'avenue Courteline. Ainsi, tout est dans tout. "

pour israélites. Énigmes de la rue… Problèmes de destinées et de façades mêlées qui nous obligeaient à songer à perte de vue, mon vieux Charles-Louis Philippe et moi, quand le démon de la flânerie nous entraînait jusqu'ici. Mais le douzième, déjà, sent le large : il réunit la Seine bleue et droite, si familière et si fine, la Seine des aquarellistes et des pêcheurs, à la Méditerranée, à l'Adriatique, aux Dardanelles. C'est la Gare de Lyon avec le gros œil de son horloge, qui est le lieu faustien de ces voyages et de ces rêveries. Le douzième qui, à la faveur de ses hectares, a droit à une portion de la place de la Bastille et à une portion de la place de la Nation, s'achève insensiblement dans

Une guinguette au bout de la rue de Picpus.
On distingue au fond le viaduc de la Petite Ceinture.

Rue de Reuilly.

Un troupeau de moutons remonte les boulevards
des Maréchaux jusqu'aux abattoirs.

Le marché de la place d'Aligre.

La rue de Cîteaux vue depuis la rue du Faubourg-Saint-Antoine.

Les manèges de la Foire aux pains d'épice sur la place de la Nation.

Près de la gare de Lyon, la petite rue d'Austerlitz bordée d'hôtels.

La maison Lacoste, fabricant de literie
au 63, rue de Charenton.

Une cité ouvrière de la fondation Rothschild,
rue de Prague.

Un ébéniste-tapissier avec chiens et apprentis
au 76, rue de Charenton.

Le passage Montgallet à l'allure provinciale, près de la rue de Reuilly.

Les entrepôts de Bercy... avant que l'importation massive de vins du bassin méditerranéen ne leur soit fatale.

La débâcle des tonneaux à Bercy lors de la crue de janvier 1910.

La gare du chemin de fer de Vincennes,
remplacée aujourd'hui par l'Opéra Bastille.

Le métro à la station Bastille. En 1904, les wagons sont encore en bois.

Rentrée des classes rue de Reuilly.

Des mariés posent rue Claude-Decaen.

La fontaine de la place Daumesnil.

Jour de fête place de la Nation, à l'occasion de la foire du Trône.

13ᵉ arrondissement

"Six grandes artères, le boulevard Auguste-Blanqui, l'avenue des Gobelins, le boulevard de l'Hôpital, le boulevard de la Gare, l'avenue de Choisy et l'avenue d'Italie convergent vers la place d'Italie. Elle est là, populeuse et grise malgré son nom éclatant, et beaucoup de petites rues tout aussi peuplées s'enchevêtrent autour comme des grappes de serpents. Certes, la Manufacture des Gobelins perpètre là ses richesses nationales, lesquelles vont des cartons de de Croy à ceux de Dufy et de Savin. Même le square du Garde-Meubles, que borde la Bièvre, est comme un petit tapis de repos au sortir de l'Hôpital Broca. Mais comme ce quartier affairé et confus convient peu à ces noms illustres et grandioses : Rubens, Véronèse, Watteau, Manet, qu'on aimerait voir profiler leurs ombres dans les ombrages luxueux et frais du Bois lointain ! Mais d'autres noms font des avances à l'esprit par leur pittoresque et ce que nous imaginons de leur origine : rue des Reculettes, rue Croulebarbe, Butte-aux-Cailles, où l'on regarde dans le passé déambuler Verlaine, qui a d'ailleurs sa place toute proche.

L'usine à gaz de la rue de Tolbiac.

Brillat-Savarin conduit non pas à un paradis gastronomique, mais à une gare de marchandises, et quant à la rue des Rentiers, elle est déjà un anachronisme ! Partout des ateliers, des entrepôts, des gares, des hospices. C'est qu'Ivry est là, et sa puissante population ouvrière qui de la périphérie de Paris descend parfois en larges nappes disciplinées les longs boulevards qui le pénètrent. De la Gare d'Austerlitz, le treizième arrondissement longe la Seine ; les rails où roulent barriques et cageots desservent la capitale qui a bon bec ; ils cernent, face aux douceurs du Jardin des Plantes, l'Hospice de la Salpêtrière où des folles parfois poursuivent leurs désirs, leurs images errantes ou nerveuses au bruit verlainien encore des locomotives de banlieue. Comme son voisin de droite en regardant vers le nord, je veux dire le douzième, le treizième arrondissement est sous le signe de l'eau. Je conseille fortement aux piétons et aux rêveurs la flânerie quai d'Austerlitz et quai de la Gare. On y voit Paris laborieux et fin comme d'une nacelle. Paris qui semble prendre un bain d'air et faire son ménage. Après quoi, je conseille le déjeuner dans un des petits restaurants fixés dans le pourtour de la place d'Italie, refuges poétiques et paisibles où l'accordéon et l'entrecôte Bercy, sous l'œil d'une bouteille de juliénas, se marient le plus angéliquement du monde. Pays d'écoles, de prisons, de casernes, d'usines, de magasins généraux, avec de petits appartements joyeux, des couleurs caressantes, le treizième pour la ceinture napoléonienne est le pays de Kellermann et de Masséna, mais il est aussi l'arrondissement de l'ami Riéra, qui relie entre eux tous ces os, tous ces nerfs de Paris au micro, afin de nous faire entendre les tempêtes sous un crâne de la capitale.

Un marchand en gros de fûts et de tonneaux, boulevard de la Gare.

La rue Nationale à l'angle du boulevard de la Gare.

Le viaduc ferroviaire enjambant la rue Watt, noyée sous les eaux
de la Seine en janvier 1910.

Une famille endimanchée passe devant la statue de Jeanne d'Arc.

L'entrée de la cité ouvrière Jeanne-d'Arc,
rue Nationale.

Un sabotier et son apprenti dans
une ruelle du quartier des Gobelins.

Le concert La Fauvette, avenue des Gobelins, devenu un cinéma.

Le grand café-tabac-billard Rozès à l'angle de la place
et de l'avenue d'Italie.

La rue Pascal, enjambée par le viaduc du boulevard de Port-Royal.

Sortie d'école, rue Jenner.

Le quartier de la Butte-aux-Cailles aux bâtisses de bric et de broc.

Une maison vétuste du passage Moret, devenu la rue Émile-Deslandres.

Tanneries et séchoirs à peaux sur les bords de la Bièvre.

Rue Albert.

Sortie de l'usine Panhard et Levassor, avenue d'Italie.

Avenue de Choisy.

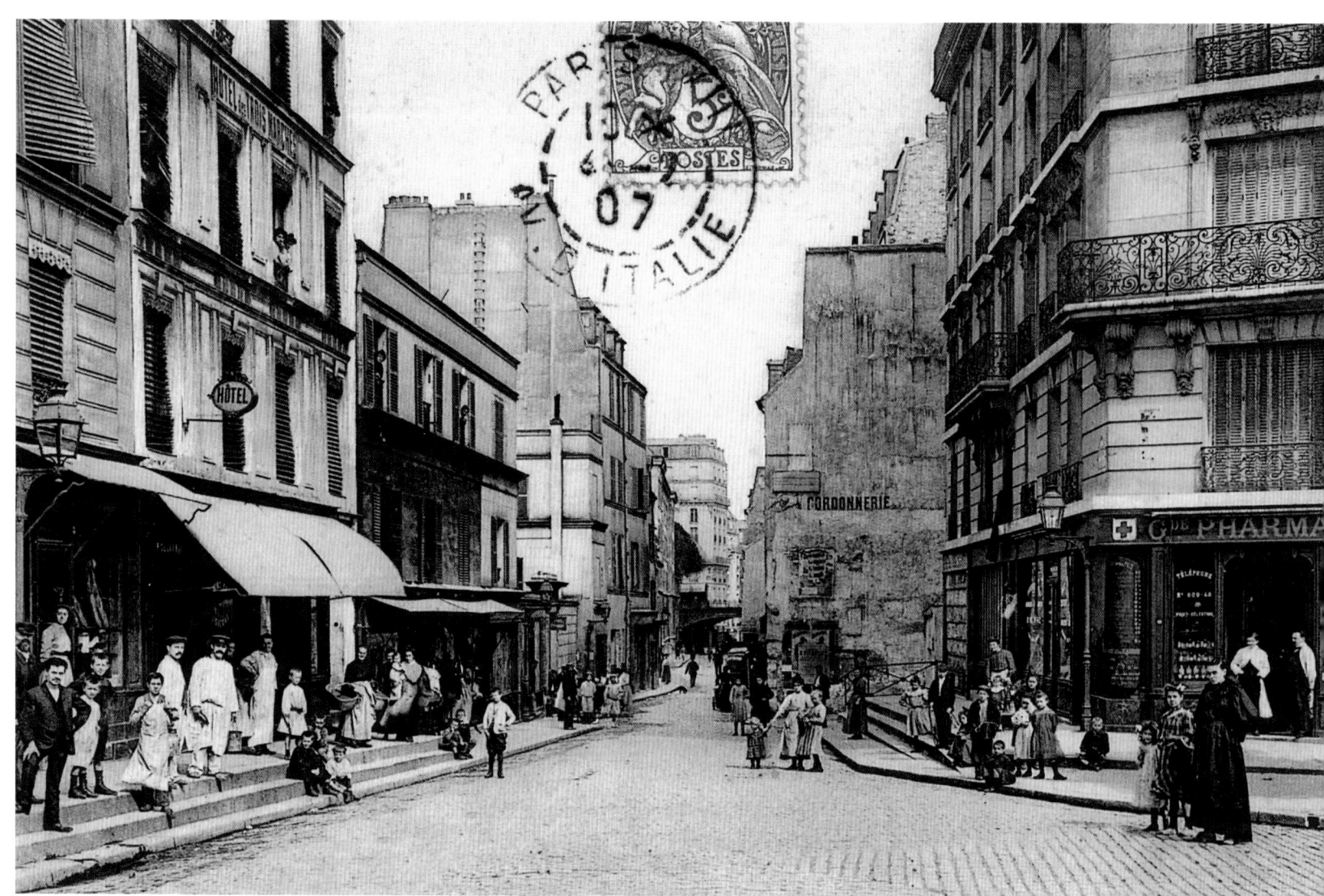

La rue Broca, vue depuis le boulevard Arago.

Les enfants prennent confortablement la pose sur les pavés
de la rue Baudricourt en pleine réfection.

Une boucherie convertie aux vertus de la réclame, au 151, rue Nationale.

14ᵉ arrondissement

Le café Au Télégraphe,
au 108, avenue du Maine.

" Montparnasse, nombril du monde ! » s'écriait un de ces enthousiastes chevelus, bruns comme un Inca ou blonds comme un Viking, qui, avant guerre, venait prendre contact avec les artistes du monde entier.

Montparnasse, à ce moment, avait presque détrôné Montmartre, si toutefois on peut comparer ces deux pôles, l'un de gaîté frivole, de boîtes à chansons, de dancings élégants, de cabarets fréquentés par les petites femmes de Gavarni et de Willette, retouchées par Hollywood, l'autre de prétentions esthétiques, où les discours sur l'Art s'opposaient avec véhémence sous la Coupole, le Dôme ou la Rotonde.

Grande artère jalonnée de dancings de couleur, le boulevard du Montparnasse voisine avec la rue de la Gaîté, si bien nommée, tant la circulation et la badauderie y sont en permanence à leur point doré. Le Vieux-Théâtre, le Théâtre Baty qui fut un temps le siège d'une conception nouvelle et toute visuelle de l'œuvre poétique (rappelons-nous *Phèdre* dans son décor Louis-quatorzien, et la farandole égrenée des *Caprices de Marianne*), Bobino, tremplin des chansons populaires, ont donné à ce quartier un air de

Le théâtre des Fantaisies Montrouge,
avenue d'Orléans.

convention romantique qui s'accorde avec l'élément ouvrier, ses engouements et la franchise de ses réactions, dénuées de littérature. L'avenue du Maine en prolonge ce côté vivace, avec ses hôtels meublés où logent des Russes exilés et des Anglaises esthètes, avec ses cours, ses écoles, son artisanat, et le vacarme des trains qui peuplent les rêves des sédentaires.

Traversé le boulevard de Port-Royal, la rue Saint-Jacques devient le faubourg Saint-Jacques qui s'ancre près du monastère de Port-Royal devenu Hôpital Baudeloque. Où les « mères » austères peintes par Philippe de Champaigne ont prié et travaillé, de petits enfants naissent à présent à la lumière de Paris. Très peu de personnes connaissent le cloître exquis dont tant d'ombres illustres et légères foulent les pelouses.

L'Observatoire y fait suite, qui observe le ciel auquel croyaient les saintes filles. Le gazon et les fleurs l'entourent et l'isolent de ces lieux maudits que sont les hôpitaux et la prison (de la Santé).

Du Lion de Belfort qui protège les catacombes, l'avenue Montsouris s'en va jusqu'au parc où les pavillons étrangers dressent leurs asiles de silence et d'étude, les uns couverts du lierre anglo-saxon, les autres stricts et mignards comme le jardin japonais. En contraste, presque parallèle, l'avenue d'Orléans mène à une porte de Paris, et c'est un mélange d'immeubles récents, de boutiques qui se modernisent, de petites voitures maraîchères. Une porte qui ouvre sur la banlieue comme un paysage modèle de Rousseau, fils de ce quartier où le bonheur est encore de ce monde.

La traversée du carrefour Alésia sous la protection attentive du sergent de ville.

La blanchisserie Dupré, au 3, rue Daguerre.

Un tramway remonte la rue d'Odessa en direction de Malakoff, son terminus.

Du boucher à l'employé de bureau, toutes les professions
du quartier Plaisance sont représentées.

Le boulevard Raspail encore en construction à son débouché
sur le boulevard du Montparnasse.

Le palais du Bardo (détruit en 1991). Il représenta la Tunisie à l'Exposition
universelle de 1867 puis fut remonté en 1869 dans le parc Montsouris.

Rue de Vanves.

La terrasse de La Rotonde, au 105, boulevard du Montparnasse.

Le bureau de poste de l'avenue d'Orléans, entre la villa Adrienne
et la maison de retraite La Rochefoucauld.

La rue de la Gaîté et son Grand Bazar.

Jeux d'enfants devant l'octroi de la porte de Vanves.

L'avenue Montsouris, aujourd'hui avenue René-Coty, mène aux réservoirs de la Vanne qui alimentent le sud-ouest de Paris en eau potable.

Devant le marché de la rue Brézin, à côté de la mairie. Tout le monde fixe l'objectif… y compris les jeunes occupants du landau.

Au pied du Lion de Belfort, place Denfert-Rochereau.

La grande coupole de l'Observatoire de Paris domine le paysage.

Rue de l'Ouest.

Un 14 Juillet devant le 128, avenue d'Orléans.

Un cordonnier, au 39, rue de la Voie-Verte.

Rue Vercingétorix, le Café du Bon Picolo offre ses services.

15ᵉ arrondissement

" L e quinzième arrondissement et la plaine de Grenelle touchent au nord au quartier vaste, aéré et régulier qui rayonne à partir du Dôme des Invalides, et dont les noms glorieux forment une étoile jumelle de celle de l'Arc de Triomphe.

Dans cette partie de Grenelle, quelques belles demeures autrefois isolées au milieu de leurs parcs disent encore des fastes, des signes d'élégance et de luxe qui prolongeaient ceux du boulevard Saint-Germain. La plaine s'achève au voisinage du Champ-de-Mars, non loin de la Tour Eiffel et, par le quai de Grenelle, s'en va jusqu'au quai de Javel, foyer industriel souvent incandescent. C'est là qu'aboutit un lacis de rues animées bâties d'ateliers qu'on aperçoit du métro aérien, dont la vitesse est braquée sur Passy. L'avenue Félix-Faure, la rue Lecourbe, à la fois si grouillante et si triste, le boulevard Émile-Zola et quelques places aux noms récents nous proposent des écoles spécialisées : disons que le demi-cercle clair de l'Institut d'Optique n'est pas sans charmer... nos yeux au passage. Dans ce domaine de labeur manuel, l'Institut Pasteur est comme un couvent studieux dont les moines en blouse blanche cherchent, penchés sur les éprouvettes, le passionnant secret de la vie moléculaire. Une grande artère partage

Grande charcuterie au 224, rue de Vaugirard.

L'abattoir aux chevaux de Vaugirard
(démoli dans les années 1980).

l'arrondissement : la rue de Vaugirard, la plus longue de Paris. Commencée à deux pas de la Sorbonne, elle aligne ses hôpitaux, ses chapelles, ses maisons anciennes, ou fraîches émoulues, et se termine à la Porte de Versailles, dans le fracas puéril et honnête, amer et doux du parc des Expositions ménagères ou mécaniques. La rue de la Convention la coupe, puis prolongée par la rue de Vouillé, frôle les rigoles rouges des Abattoirs. La rue Croix-Nivert archaïque, avec ses maisons basses, presque masures, semble une rue des *Misérables*. La rue Blomet, célèbre par ses cliniques et la qualité de ses opérés, l'a été aussi par son bal nègre qui fit longtemps courir les belles dames de Paris curieuses de tâter du blues avec un chauffeur ou une cuisinière à face d'ébène.

Mais pourquoi Olivier de Serres dans cette petite rue provinciale où il y a plus de pavés que de fleurs champêtres ? Vaste arrondissement aussi que le quinzième avec son champ de manœuvres, un grand geste gracieux de la Seine, le ministère de l'Air, ses verdures charmantes du square Saint-Laurent et ses nuages qui passent la revue des cheminées. ""

La tête de ligne des omnibus dans la rue du Commerce,
en face de l'église Saint-Jean-Baptiste-de-Grenelle.

Le marché de la rue Saint-Charles.

La rue du Commerce près du métro aérien La Motte-Piquet-Grenelle.
On distingue la grande roue du Champ-de-Mars.

Le lavoir public de la rue Lecourbe, l'un des plus importants parmi
les 347 établissements recensés à Paris en 1917.

Le plus grand marché de l'arrondissement se tient boulevard de Grenelle,
sous le viaduc de la ligne 6 du métropolitain.

Non loin de la Seine et du pont Mirabeau, un café,
au 58, rue de la Convention.

Rue du Commerce.

Au carrefour Saint-Charles-Convention.

Le marché aux chevaux de la rue Brancion, jouxtant les abattoirs.

Rue Fizeau, à deux pas des abattoirs de Vaugirard.

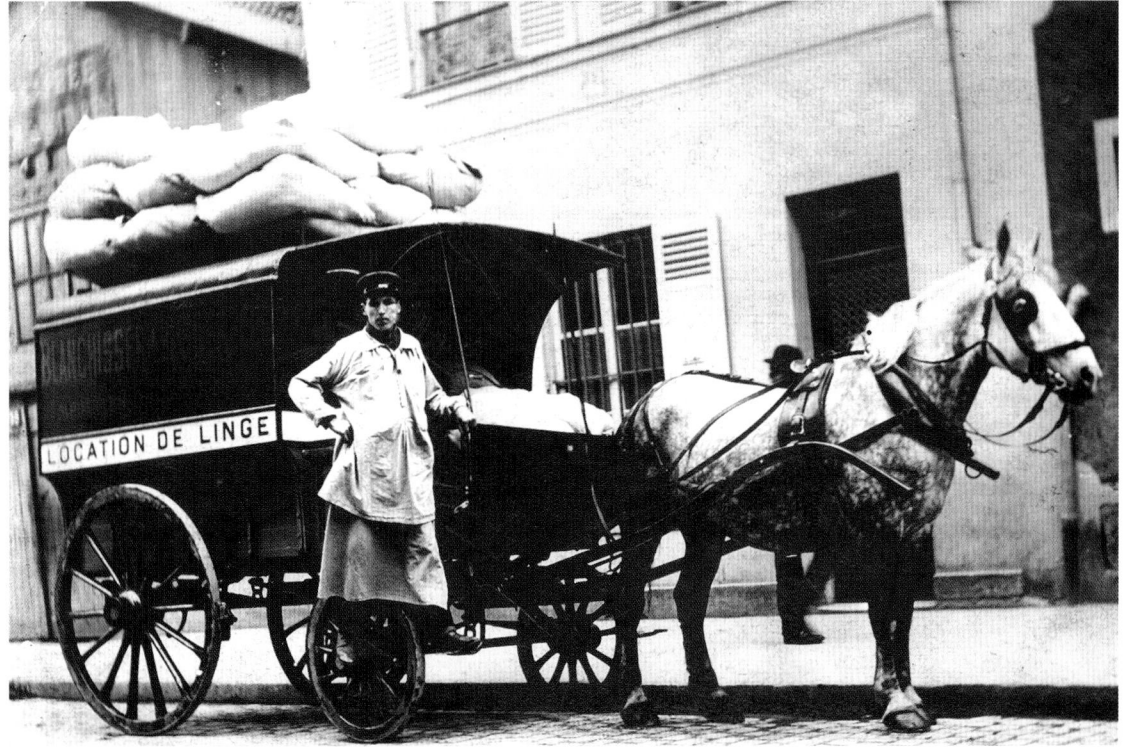

Une voiture de la blanchisserie de Grenelle
établie au 31, boulevard de Grenelle.

Rue Letellier.

Rue Dupleix. Au fond, la galerie des machines
construite pour l'Exposition universelle.

Rue Lecourbe, rectiligne en dépit de son nom.

Rue de la Croix-Nivert. Au fond à droite, le théâtre de Grenelle.

Le music-hall des Variétés Parisiennes,
au 17, rue de la Croix-Nivert.

Rue des Entrepreneurs.

Deux cyclistes et leurs assistants, rue du Théâtre.

16e arrondissement

Au poste d'octroi de la porte Molitor.

vec le seizième on a l'impression de rentrer à Paris par le viaduc d'Auteuil après un long voyage dans le pittoresque, l'humain, le laborieux. Le seizième est un long pays qui va de Billancourt à l'Arc de Triomphe, et qui a droit, entre le Pont d'Issy et l'Alma, à un grand métrage de fleuve. Le seizième est accroché par six ponts à la Seine ravissante et bleue, toujours en veine de sirènes et d'expositions. Vers l'ouest, du côté des maréchaux Suchet, Lannes, le seizième entre de toute sa substance dans le Bois de Boulogne, se trouvant ainsi branché sur les lacs et les courses. Véritablement, c'est un pays, c'est une portion de Paris qui n'a pas à se plaindre. Même on peut dire que ce qui se nomme Passy-Auteuil a été gâté. Le feuillage, des buissons, des allées d'une part, et si souvent rehaussées d'amazones, d'autre part les péniches, presque le bord de mer, et le Parc du Trocadéro aux profondeurs théâtrales, c'est beaucoup pour un arrondissement. L'avenue Foch, le Musée Guimet, l'avenue Henri-Martin, la rue Paul-Valéry, et la rue Jean-Giraudoux, le Musée de l'Homme, de très grands noms : Newton, Chopin, Hugo, Kléber, Renoir, Montmorency, Mozart... nous n'en finirions pas. Le Lycée Janson de Sailly, des hôtels, des voitures, de merveilleux fleuristes. Encore un coup, ce seizième a eu la part du lion. Eh bien, pas du tout ! J'espère ne pas irriter les habitants si doux, si paisibles de cette contrée, en leur disant que je ne choisirai jamais de les imiter. Évidemment, je sais comme tout le monde qu'on

La rustique cour du Bocage,
rue Beethoven.

la Grande-Armée, je sais bien, mais ici nous regardons déjà par la portière, nous quittons le quant-à-soi, nous redevenons du grand Paris mêlé à ses monuments et souvenirs. Les gens du seizième s'en vont chercher l'art, la distraction, les vieux livres et le reste dans le centre. Leur ligne de métro qui relie le Pont de Sèvres à l'Opéra le montre assez par ses vastes transhumances. Vous me direz qu'il y a le Palais de Chaillot, vaste baleine géométrique dont le ventre absorbe tant de pianistes, de fresques, de chœurs et de ballets. Parfaitement. Mais le Palais de Chaillot n'est pas un vrai théâtre. Il y a trop d'escaliers, pas assez de portes aux gonds usés et d'escaliers en colimaçon. Le moderne a voulu trop bien faire et s'est moqué du temps. Celui-ci, dit-on, le rattrapera au tournant. Toutefois, il ne faut rien exagérer : il y a des coins, dans ce seizième, tels que le bout de l'avenue Victor-Hugo qui va de la place à l'Étoile, il y a l'arc de cercle compris entre l'avenue Marceau et celle de la Grande-Armée (superbe point de vue comme nous chantions jadis), il y a la rue de Passy et ses boutiques, la Gare de la Muette et la Gare Henri-Martin, où les satisfactions ne boudent pas celui qui les cherche. C'est dans le seizième, chez Madame de Polignac, que j'ai eu souvent, grâce à son goût, à son autorité, de merveilleuses révélations de musique de chambre. C'est dans le seizième, il y a quelques années, que j'ai retrouvé André Gide. Enfin, j'ai passé des petits jours inoubliables à écouter les oiseaux de la Porte Dauphine.

ne fait pas ce qu'on veut sur le chapitre des appartements. Une fois installé place des États-Unis, ou avenue Marceau, l'idée ne vient à personne d'aller camper du côté de Tolbiac ou de Charenton. Je parle de planter sa tente dans les ombres du Bois quand on est libre de ses mouvements. En ce qui me concerne, j'appartiens à un corps constitué de Parisiens à qui cette idée ne viendra pas. Le seizième, n'en déplaise à ses occupants où j'ai cependant maint ami de qualité, manque de moisissure, de patine, de vieilles odeurs de malles et de dentelles, et pour tout dire de cafés et de théâtres. Il y a le côté sud de l'avenue de

L'entourage, surnommé « libellule » et dû à Hector Guimard,
de la station de métro Porte-Dauphine.

Le monument au père des *Misérables* sur le rond-point
de la place Victor-Hugo.

L'avenue du Bois-de-Boulogne, inlassablement parcourue
par les promeneurs, à pied, à cheval ou en voiture.

La Pharmacie des Villas, rue Berlioz.

Dans la perspective de la rue des Réservoirs du vieux village de Passy,
le palais du Trocadéro.

Rue du Ranelagh, une modeste papeterie fait office
de recette auxiliaire de la Poste.

Rue de l'Alboni.
Les grandes bâtisses
aux tours d'angle furent
d'abord des hôtels durant
l'Exposition universelle
de 1900 avant d'être
convertis en immeubles
d'habitation.

La rue Beethoven, qui donne sur le quai de Passy, aujourd'hui avenue du Président-Kennedy,
semble appartenir à un village plutôt qu'à la capitale.

Une belle confiserie, au 63, rue de Passy.

Au 10, rue d'Auteuil, M. Coquelet a diversifié ses activités,
offrant ses services de cordonnier en même temps
que les commodités d'un dépôt de bois et charbons.

Les jeunes ouvriers des automobiles Bolide,
au 87, avenue de la Grande-Armée.

La rue d'Auteuil, artère principale du village avant son annexion.

Rue de Passy, une voiture de la Laiterie
du champ de courses d'Auteuil.

La rue de la Pompe abrite le lycée Janson-de-Sailly
ainsi que la mairie du 16e arrondissement.

L'entrée de l'ancien hameau Jean-Jacques Rousseau,
au 28, quai de Passy (aujourd'hui avenue du Président-Kennedy).

Grand magasin de fruits et légumes au 119, avenue Victor-Hugo.

La longue rue de Longchamp mène
à l'hippodrome du même nom.

À la Ville d'Auteuil, grand magasin de voilages, lingerie et bonneterie, au 3, rue Bastien-Lepage.

Rue Singer.

17ᵉ arrondissement

"Dix-septième, arrondissement de Mallarmé, jamais je ne l'oublierai. Dix-septième avec sa place Clichy, et sa mairie, petite patrie fière et solide, quasi barricadée, et qui ne ressemble à aucune autre. Voyons d'abord du côté des maréchaux : Gouvion-Saint-Cyr, Berthier, mais l'agglomération a enjambé cette ceinture historique et tire ses habitants du côté de Clichy, de Levallois, de Neuilly. Le dix-septième est bordé d'avenues et de boulevards, et il comprend, le long de la rue de Rome et de la rue de Saussure, le débouché des forces de la Gare Saint-Lazare. C'était le chemin de Mallarmé quand il remontait vers cet appartement où je fus admis un jour pour l'enrichissement de mes souvenirs. Un peu plus loin se trouve le Théâtre des Arts, avec ses traces ibséniennes, où nous eûmes, dans l'éclat de ma génération, à soutenir de hautes luttes. Il est singulier et réconfortant de constater ici à quel point la capitale semble s'être arrangée elle-même avec la poésie du classement et de l'ordre pour sauvegarder à tous ses points une physionomie particulière. Face au Parc Monceau,

À la porte Maillot.

au quartier de l'Europe où mon ami Jules Romains a si bien parlé jadis, le dix-septième ne peut pas être confondu, comme disait Bossuet. Les sensations et le regard le situent d'emblée dans sa matière propre et s'accommodent de son cachet. Il est balisé de stations précises et reconnaissables qui n'ont aucun rapport entre elles : la place Saint-Ferdinand, la place des Ternes, le square des Batignolles, la place Pereire, la rue Legendre, le quartier des Épinettes, enfin un système de rues et d'avenues que la municipalité a consacrées à la guerre de 14-18. Ainsi le boulevard de Reims voisine avec la rue Brunetière, et les magasins de décors de l'Opéra et de l'Opéra-Comique avec Douaumont et le Fort de Vaux. C'est l'univers de ces sonorités, de ces idées, de ces emplacements, qui fait le charme de Paris. Le dix-septième est composite et semble manquer d'homogénéité. Il est mondain dans son sud-ouest et prolétaire dans son nord ; il est artiste, artisanal, rêveur, besogneux. Cosmopolite avenue de Wagram, patriote avenue de Clichy, il a des côtés Simenon, des aspects Zola dans le rayon de ses usines et de ses échappées. Tout le long d'une flânerie, on a presque toujours le sentiment de passer de la distinction à la bonhomie, et qui va d'un trait de l'avenue Carnot à la station de métro Balagny se demande s'il ne change pas de planète. Pure illusion : on est toujours dans le dix-septième, cela se sent à un air, à des murmures, à ces façons de vivre que les hommes adoptent machinalement dans un cadre qui leur est commun. Je signale aussi un fragment fort singulier du dix-septième, où l'on accueille des rêves qui auraient brusquement le fumet des autres villes dans leur présence : c'est la place Malesherbes qui s'adosse au Lycée Carnot et à l'École des Hautes Études Commerciales. C'est Paris, tout le proclame, à commencer par la couleur, mais c'est autre chose par moments ; puis, quand on réfléchit, on s'aperçoit qu'il ne s'agit que des appels du centre. Le dix-septième est encore un de ces arrondissements où l'on descend vers le murmure et l'intensité. **„**

La rue des Batignolles et l'église Sainte-Marie.

Un regroupement juvénile devant la Pharmacie Centrale des Épinettes.

À deux pas du bois de Boulogne, la porte Maillot est desservie par le métro
et par la gare de la Petite Ceinture sur le boulevard Pereire.

Les fiers-à-bras du lavoir du Roule, rue d'Armenonville.

La Grande Boucherie de Courcelles, au 81 de la rue,
carcasses et gigots alignés, personnel au garde-à-vous.

Rue Pouchet, devant le café-tabac Mourèze.

Au 71, rue des Batignolles, Martel-Stoppeur promet des « reprises invisibles »
exécutées « sous les yeux des clients ».

Le marché de la rue Bayen.

Au carrefour du boulevard Malesherbes et de la rue Legendre, les pavés en bois
sont retaillés et éventuellement remplacés pour restaurer la chaussée.

Avenue de Clichy.

La Brasserie du Libre-Échange, un café-concert de l'avenue de Clichy.

Un groupe de sapeurs-pompiers regagne
la caserne de la rue de Rome après l'exercice.

Une marchande de quatre-saisons,
rue des Acacias.

Rue Lemercier. On y loue des voitures à bras dans une boutique jouxtant un horloger. Les horaires ne sont pas contestables !

La rue des Dames survolée par un avion... par la grâce d'un photomontage.
Le motif est fréquent sur les cartes postales 1900.

Avenue de Wagram au matin : les livreurs filent à toutes jambes chez leurs clients.

Rue de Montenotte, les ménagères s'empressent.

La rue de Lévis, vue ici depuis le boulevard des Batignolles,
est toujours aussi commerçante.

Rue des Acacias.

18ᵉ
arrondissement

Une blanchisserie, au 87, rue Lamarck.

« Voici un arrondissement musical par excellence, et qui met Paris en communication avec le reste du monde. Peu de pays, même transformés, ignorent la rue Lepic, le cimetière Montmartre, le square Willette, la place des Abbesses et les Moulins. La littérature et l'estampe, de Toulouse-Lautrec à Pierre Mac Orlan, de Forain à Carco, de Rodolphe Salis à Utrillo, ont fait connaître des charmes que Gustave Charpentier a mis en musique pour les siècles des siècles. Le dix-huitième arrondissement est en effet la patrie de *Louise*. Je me souviens d'avoir écrit que *Louise* était en quelque sorte le chef-d'œuvre topographique de l'endroit et comme sa carte d'état-major harmonique, dans laquelle on peut lire tout ce que Montmartre a de charmant et de vieillot, de légendaire et de superficiel, de romantique et de banal. C'est un grand pays bourgeois, un des plus larges arrondissements de Paris, un crâne de ville orné d'un panache blanc : le Sacré-Cœur. Je me suis laissé dire que l'on trouvait dans le Honduras, en Finlande et en Chine des presse-papiers et des bibelots de salon qui représentaient le Sacré-Cœur.

Le Moulin Rouge, 82, boulevard de Clichy.

Cela ne m'étonne point. La basilique est un grand signe de foi et d'esprit, un édifice bourré d'idées et de significations auquel le rêve universel ne peut rester indifférent. Le dix-huitième arrondissement, la butte Montmartre, la place du Tertre, Blanche, Pigalle, Anvers, le Moulin-Rouge et la rue Gabrielle constituent une manière de terre promise assez et même très riche en éléments étrangers : nègres, russes, apatrides, tous mêlés à l'aventure dansante et musicale du pays dont Clemenceau fut maire ; et pourtant aucun endroit de Paris ne reste plus français dans son essence et sa physionomie. Un seul Parisien suffirait pour y faire régner notre talent et notre humeur. Quelque chose s'est infiltré dans les façades dont la disparition ne peut être envisagée. Des mots, des ombres, des fantômes, une façon légère, intelligente et rapide de prendre la vie, d'immenses souvenirs, une certitude de ne pas se tromper qui relie le cœur du badaud aux jugements de l'intellectuel, un bon sens également partagé, enfin le sens de la jeunesse, de la blague, de la farce et de la nuit... C'est cela, Montmartre, et c'est cela aussi qui restera Mont-martre. Pour un plombier, un forain, un violoniste, être né rue Lepic confère une espèce d'aristocratie ténébreuse et réconfortante que nous connaissons bien. Ces gens-là ont l'air de mater l'adversité, de faire ce qu'ils veulent avec la vie. Nous en avons merveilleusement l'impression dans les cabarets et les ateliers. Ce qu'il nous faut, c'est une histoire de Montmartre, une académie, un musée permanent. Cet arrondissement qui est un peu l'œillet à la boutonnière de Paris, son crayon sur l'oreille et son chapeau en arrière, est également un miroir à deux faces. D'un côté le Mont-martre des chansons, en bordure des boulevards jusqu'au coin de la rue de Château-Landon, et de l'autre des gares, des entrepôts, des usines, un pays de fer et de vacarme dont le rond-point de la Chapelle est le centre. C'est là même que pourrait se tenir le chef d'orchestre qui conduit dans nos rêves la symphonie fantastique de cette contrée charmante et sonore.

❞

La place du Tertre. À droite, le célèbre restaurant de la Mère Catherine.

Le passage de l'Élysée-des-Beaux-Arts, aujourd'hui rue André-Antoine, dont l'escalier mène rue et place des Abbesses.

À l'angle des rues du Chevalier-de-La-Barre et Lamarck, le restaurant Au Rocher Suisse, à la terrasse en altitude, offre une dernière escale dans la montée au Sacré-Cœur.

Un quidam et son âne, rue Cortot.

Rue Lepic, le Moulin de la Galette a connu la célébrité en s'éloignant de sa vocation première pour se transformer en bal.

Le Cabaret des Truands, au 100, boulevard de Clichy.

Le café-concert La Cigale existe toujours au 120, boulevard de Rochechouart.

Le cabaret du plus célèbre chansonnier de Paris,
au 84, boulevard de Rochechouart.

Dans le quartier du square Saint-Pierre, investi par les boutiques
débitant tissus et voilages au mètre.

Place Saint-Pierre, devant la halle du marché.

Rue de la Goutte-d'Or.

Quelques paroissiens de la rue de l'Évangile
dans le quartier de la Chapelle.

La place Hébert, à la rencontre des rues de l'Évangile, Boucry, des Roses et Pajol.

Un arrivage impressionnant au restaurant de la Tourelle
à l'angle des rues Marcadet et du Mont-Cenis.

Au 123, rue Marcadet, l'École de cochers de la Ville de Paris
qui dispose d'une autre succursale dans le 19e arrondissement.

La rue Myrha porte le nom de la fille d'Alexandre Biron,
maire de Montmartre de 1843 à 1848.

La rue des Poissonniers, antique voie empruntée par les mareyeurs
convoyant leurs marchandises jusqu'aux Halles depuis les ports
de la mer du Nord et de la Manche.

Les baraques du maquis de Montmartre,
aux abords de la rue Caulaincourt.

19ᵉ arrondissement

Les pensionnaires de la vacherie de la rue des Chaufourniers paissent ordinairement dans le parc des Buttes-Chaumont.

"J'ai appelé naguère le dix-neuvième mon quartier. C'était un abus, mais un abus de poésie et songerie que l'on comprendra sans peine. J'ai longtemps vécu rue de Château-Landon, dans le dixième, presque sur la frontière et sous les ombres fraternelles et bruyantes du métro aérien, et ce voisinage remuait et brassait en moi des nuits entières tous les désirs d'évasion de ma vie intérieure. Mes rêves m'emportaient par-delà le boulevard de la Chapelle vers la rue d'Aubervilliers, vers la rue de Flandre, et tout le long des quais de la Seine et de l'Oise, vers le port de Paris adossé aux Abattoirs et au marché aux bestiaux. Le dix-neuvième est encore une de ces riches natures dont la camaraderie m'était précieuse et douce. Il étale ses trésors avec largesse et bonne humeur ; il est plein de choses, bourré de détails comme un roman : les Buttes-Chaumont, poème de Paris, triomphe d'une sorte de province olympienne qui montrerait le bout de l'oreille et ferait le gros dos ; la Villette et ses entrecôtes marchand de vin uniques au monde pour l'épaisseur et le goût ; la place des Fêtes et son air de toile de musée ; la rue des Solitaires, le parcours de

Rue Manin, à l'entrée du parc
des Buttes-Chaumont.

l'autobus AP qui ne fait aucun écart vers le centre ;
la brusque clairière des rails de la Gare de l'Est
qui soulèvent un coin du voile : Vienne, Budapest,
Zurich, Bucarest. C'est au bord du dix-neuvième,
dans la couenne sud, que prend sa source la fameuse,
l'interminable rue des Pyrénées qui s'en va vers
Vincennes. Les poumons respirent l'air gris et vif du
Pré-Saint-Gervais et de Pantin. Le canal de l'Ourcq
emmène les rêves parisiens vers les paysages de l'Est.
J'ai cheminé là des semaines entières, cherchant des
prédilections sans les trouver, finissant par clas-
ser mes images : le marché de l'avenue Jean-Jaurès
serré comme une tranche de galantine, la place du
Danube avec son écheveau de rues en coup de poing,
les virages dangereux des rues Botzaris et Bolivar,
et enfin tous les infiniment petits jusqu'aux carac-
téristiques immenses du port de péniches. Je mets
très haut dans mes satisfactions, dans mes illuminations, les ocres, les noirs, les violets crus, les verts
aimables du pont de la rue de Crimée, des quais de la

Marne et de l'Oise... oui, très haut, et des heures j'ai
flâné là de tout mon poids, de tout mon passé, de tout
mon rêve. J'y fus avec Marquet, dont c'est en quelque
sorte la terre natale et la palette, avec Philippe, et
plus souvent encore avec mon marchand de charbon
ou ma blanchisseuse. La causette commençait au
carrefour Villette-La Fayette, gare aérienne cernée
de murs et comme agitée de véhicules ; elle se conti-
nuait de péniche en péniche jusqu'à l'église Sainte-
Christine, puis se déchirait dans les environs du
boulevard MacDonald. Le dix-neuvième a servi de
cadre à maint banquet, et j'ai pu, des années durant,
y traîner des dames qui venaient là pour la première
fois, de jeunes esthètes et des membres de l'Institut,
régulièrement enchantés du séjour. Et que de fois,
loin de Paris, parfois à l'étranger, je retrouvais dans
ma corbeille de rêves le bruit de la ligne Dauphine-
Nation, les pépiements de la rue d'Aubervilliers,
la gorgée des boutiques et le souffle puissant de cet
arrondissement énorme, admirablement adapté à la
peinture et à la légende.

La rue de Flandre, en direction de la porte d'Aubervilliers,
enjambée par le viaduc de la Petite Ceinture.

Un dimanche aux « fortifs » du Pré-Saint-Gervais. Le no man's land entre
Paris et sa banlieue offrait un terrain de jeu au grand air très apprécié.

Débarquement des marchandises sur le quai de la Loire.

La rue Asselin, actuelle rue Henri-Turot, depuis le boulevard de la Villette.

Avenue Secrétan.

La halle du marché Secrétan, dans le bas de l'avenue Simon-Bolivar.

Rue Rébeval.

La longue rue d'Aubervilliers, frontière entre
les 19ᵉ et 18ᵉ arrondissements.

Rue de Meaux, une marchande de journaux
et son voisin brocanteur assis sur son triporteur.

Le photographe est repéré place des Fêtes.

Comme un air de village, en haut de la rue de Belleville.

Rue des Solitaires, près de la place des Fêtes, le café À l'Ami Pierre.

Voisin de l'église Saint-Jean-Baptiste, le bar Aux Amis
de Belleville invite à des communions d'un autre genre...

Devant la piscine municipale,
au 1, rue Rouvet.

Les « tueurs » des abattoirs, couteaux à la ceinture et tabliers sanguinolents.

Un troupeau de moutons devant la grande halle de la Villette.

Le café-billard Au Val Rose, rue de Romainville, près de la porte des Lilas.

Au 39, quai de la Marne, un groupe de débardeurs se désaltère
après avoir déchargé une péniche de charbon sur le canal de l'Ourcq.

Les mariniers à l'œuvre sur le bassin de la Villette.

20ᵉ arrondissement

Cordonniers devant leur boutique,
au 114, boulevard de Ménilmontant.

« Le vingtième arrondissement, celui qui termine le jeu de l'oie de Paris, en est aussi, par la présence du Père-Lachaise, un peu comme la conclusion spirituelle. Paris, en ce domaine mi-poétique et mi-administratif, commence au Louvre et finit à Ménilmontant, avec ses âmes et ses souvenirs. Le vingtième n'a point d'eau, point de réseau ferroviaire, et la seule chose qui puisse lui donner l'idée d'un fleuve, l'idée de l'infini, c'est la fameuse rue des Pyrénées qui le traverse de la tête aux pieds. C'est la rue de Vaugirard ou la rue Saint-Honoré de l'endroit, chargées de numéros comme un annuaire des téléphones. Les maisons les plus singulières, jusqu'à la simple hutte avec carré d'oignons, s'y bousculent, s'y étalent et tentent leur chance au soleil de la capitale. Au nord-est de la station de métro Couronnes, on peut découvrir aujourd'hui encore, serré entre des pâtés de maisons, une sorte de « no man's land » où l'électricité n'arrive pas. On s'y éclaire au pétrole quand il y a du pétrole, ou simplement à la bougie. Il y a des petites barrières devant les maisons basses et borgnes, comme celles que l'on trouve dans les villages, ou comme celles dont usent parfois les clowns pour compliquer leur entrée en piste. Cet endroit retiré et secret fut longtemps le refuge des communards, des derniers héros, des dernières familles de la Commune, et, du temps que j'avais des jambes de piéton de Paris, j'y ai conduit maint camarade étonné et réjoui. Puis nous descendions vers Ménilmontant,

La passerelle enjambant les voies de la Petite Ceinture à hauteur de la gare de Ménilmontant.

vers l'église flamande de l'avenue Philippe-Auguste, tantôt du côté de Gambetta et Bagnolet, de l'Hôpital Tenon où régna jadis le compagnonnage de carabins le plus haut en couleurs du Paris universitaire. Plus que le dix-neuvième, le vingtième arrondissement est la patrie de Bruant. Ses chansons les plus dures, les mieux senties, comme on dit, mettent en lumière et montent en épingle les modes et manières de Charonne, des Tourelles et de Ménilmontant. Ses fameux pantes étaient des environs. Ici le touriste serait déçu, disons-le sans vergogne, car les curiosités sont rares : la place Saint-Fargeau dans l'intimité des réservoirs de Ménilmontant, l'église Notre-Dame de la Croix, le square Séverine, le square Sarah-Bernhardt, l'Hospice Debrousse, ni la place de la Réunion ne séduiront les amateurs d'art. Mais le songe tendre et pittoresque y découvrira mille appâts, et des facettes parfois ravissantes dans leur humilité. Le cinéma peut faire ici les incursions les plus instructives. C'est un coin de rue qui frissonne, un saint-honoré de toitures, d'ateliers et de logements ténébreux d'où s'envole parfois un air d'accordéon chargé d'oiseaux lourds. Souvent, des fleurs montrent sur des appuie-fenêtres leurs petites têtes d'école buissonnière. On s'accoutume aux garages, aux blanchisseries, aux petites fabriques. Le beuglant, la salle de spectacles s'inscrivent dans cette fresque où, pour ma part, j'ai toujours eu, rien qu'à les apercevoir à leur besogne ou leurs songeries, tant de camarades spontanés, tant de frères en poésie. Nous n'usions pas des mêmes mots, mais nous étions déchirés de la même manière. Et sans doute c'est d'un cœur identique que nous écoutions le chant des matelots contenu dans la trompe des autobus ou le cri des sirènes.

Rue Jouye-Rouve, la blanchisserie fait face au lavoir.

Parade des beautés de la rue Julien-Lacroix.

Rue des Amandiers.

Portrait de groupe devant la charcuterie établie au 1, rue des Envierges.

Un 14 Juillet au carrefour des rues Pixérécourt et de Belleville.

La rue du Surmelin est bien tranquille.

Sur le boulevard de Ménilmontant, au départ de l'avenue Gambetta.

Rue des Haies.

Rue Pixérécourt ; entre rive droite et rive gauche,
on ne se mélange visiblement pas !

Une modeste épicerie-mercerie fait face aux écoles de la rue Pelleport.

Le Bazar des Bonnes Ménagères, dans le bas de la rue de Ménilmontant.

Devant le lavoir Saint-Blaise. Le clocher de l'église de Charonne apparaît au fond.

La villa des Otages, au 85, rue Haxo.

La rue Piat, à l'angle de la rue des Envierges.

Le siège social de la coopérative ouvrière La Bellevilloise,
au 21, rue Boyer.

La porte de Ménilmontant au matin. La route ne mène
pas en pleine campagne mais aux Lilas.

Toutes les images sont © Photothèque des Jeunes Parisiens

Direction éditoriale : François Besse
Coordination éditoriale : Mathilde Kressmann
Préparation : Olivier Debanne
Relecture : Marc Budin

Avec la collaboration de Meryam Khouya

Direction artistique et réalisation : Isabelle Chemin

Achevé d'imprimer en UE en juillet 2017
ISBN : 978-2-37395-025-0
Dépôt légal : septembre 2017